ISVW Uitgevers
Dodeweg 8
3832 RD Leusden
www.isvw.nl

Titel: Stand-up filosoof. De antwoorden van René Gude
Auteur: Wilma de Rek
Vormgeving: Henk Droog | Dvada Platland
Eindredactie: Mariet Meijer
Coverfoto: Wouter Vandenbrink

4ᵉ druk

© Wilma de Rek en ISVW Uitgevers, Leusden 2013
ISBN: 978-949169-301-4
NUR: 730

Stand-up filosoof

De antwoorden van René Gude

Wilma de Rek

ISVW UITGEVERS

Voor Babs en Bert

Inhoud

Voorwoord

Soms verandert een ontmoeting je leven. Die met René Gude, in 2010, was er voor mij zo een. Niet omdat ik daarna besloot alles op te geven en hem ten huwelijk te vragen, want hij was al zeer gelukkig bezet. Maar ons eerste gesprek was zo leuk dat ik snel listen ging verzinnen om er meer te kunnen voeren. Ik vroeg of ik hem mocht interviewen voor een hoofdstukje in een boek, ik vroeg of ik hem mocht interviewen voor een hoofdstukje in een ander boek, ik vroeg of ik hem mocht interviewen voor de krant. Toen dat allemaal gedaan was en ik niets meer kon verzinnen, vroeg ik of ik hem mocht interviewen voor de lol. Het mocht.

Waarom verandert René je leven: omdat hij je kijk erop verandert. Omdat hij aan ongeveer elk onderwerp een onverwachte draai geeft. Wat hij doet is geen feiten spuien, hij overrompelt je niet met zijn kennis, hij probeert je nergens van te overtuigen. Zijn methode is veel subtieler: hij brengt bijna terloops iets naar voren, een detail, een schijnbaar onbelangrijk dingetje; en uiteindelijk blijkt hij zomaar je denken over dat onderwerp gekanteld te hebben.

Als zo'n onderwerp een paar weken later op zijn zachtjes dobberende woonark in Amsterdam Noord opnieuw ter sprake komt en je hem opgewekt confronteert met wat hij daarover eerder naar voren bracht, kijkt hij peinzend over het water, zwaait een zwaan gedag, blaast een wolkje rook uit en zegt: 'Jaaa. Zo zit het. Maar daar komen nog wel een paar dingen bij.' Een paar uur later sta je blij op de pont, sufgeluld maar wel veel wijzer dan je was.

Het eerste wat René zei toen we besloten van onze gesprekken een boek te maken, was: 'Ik wil niks nieuws bedenken. We weten met zijn allen al veel te veel, we moeten het eerst maar eens over een paar zaken eens worden.' Het tweede was: 'Als ik nou eerlijk toegeef dat ik niet altijd weet wat ik per ongeluk toch zelf heb bedacht en wat we gezamenlijk bij elkaar hebben gescharreld, ontsla jij me dan van de plicht om overal bronnen te vermelden?' Het derde was: 'Ik kan van niemand bewijzen dat ze ongelijk hebben dus daar ga ik mijn tijd niet aan verdoen. Ik ga niet zeggen: Plato was een lul, maar Aristoteles was een fijne vent! Plato was trouwens helemaal geen lul.'

René vertikt het andermans ideeën onderuit te halen, keihard stelling te nemen tegen het een of ander, of met de definitieve en sluitende visie te komen op hoe het zit in de wereld, kortom alles waar je als interviewer doorgaans gretig op aanstuurt. Wat hij wel wil: een pleidooi houden voor ruimdenkendheid. Voor samen dingen ondernemen. Voor blijven klussen, aan jezelf, aan je omgeving, aan je wereld.
Voor optimisme.

Wilma de Rek

Waarom filosofie de meest efficiënte wijze van tobben is en waarom het ons helpt om antwoorden te vinden op drie grote vragen: hoe houden we het met de dingen uit, hoe houden we het met elkaar uit, en hoe houd ik het met mezelf uit?

Wat was je allereerste kennismaking met de filosofie? Stonden er bij jullie thuis belangrijke filosofische werken in de boekenkast?

Jazeker, twee stuks, van mijn opa van vaderskant: *In den hof der wijsbegeerte*, van Will Durant, en *Tao te King* van Lao Tse. Mijn opa is overleden toen ik een jaar of zeven was, dus ik heb hem niet goed gekend, maar hij moet een grappige man zijn geweest. Hij was heel goed in schermen – zo goed dat hij voor Nederland naar de Olympische Spelen kon. Er waren geruchten dat hij bij de vrijmetselarij zat. Hij had in Haarlem met zijn broer eerst een banketbakkerswinkel en daarna, in de crisisjaren, een cateringbedrijf. Ze reden rond in T-Fordjes waar met koperen letters C.J. Gude op stond. Mijn opa en oma zijn daar min of meer mee binnengelopen en daarna konden ze rentenieren; ze waren niet stinkend rijk, maar er was genoeg geld. Die boekjes waren de eerste filosofische werken die ik in handen kreeg.

Van je vader, die ze helemaal stuk had gelezen en die ze op je vijftiende plechtig aan jou gaf?

Nee. Mijn vader heeft in Wageningen tropische bosbouw gestudeerd en ik geloof dat hij, toen hij zich had aangesloten bij een studentenvereniging, heel even heeft geprobeerd een dispuut over filosofie op te richten. Het verhaal is dat ze drie keer bij elkaar zijn gekomen en toen gewoon zijn gaan drinken. Ik heb mijn vader nooit op enige interesse in de filosofie kunnen betrappen. Hij was commercieel directeur van een firma die kunstmest en dergelijke verkocht aan boeren. Om niet in dienst te hoeven is hij in Indonesië gaan werken; daar ben ik in 1957 als derde zoon geboren, en een jaar later repatrieerde het gezin. Het was een keurig, rechts milieu. We woonden in Haren tegenover de familie Mees, en daarna in Laren tegenover de familie Pierson. Ik ben een echte kakker.

De sfeer thuis was niet beschouwelijk.

Nee, ik heb pas later begrepen dat mijn vader in Indonesië als wetenschapper begonnen is: hij had plannen om een proefschrift te schrijven over Java en de koffiecultuur. Heel even had hij dus wel een wetenschappelijke interesse. Maar die heeft hij samen met zijn beschouwelijke kanten overboord gekieperd toen hij de handel in ging. Ik ken mijn vader alleen als een ongelooflijk nuchtere commerciële man, zo'n oud-liberaal, een geen-gelul-type.

En je moeder?

Die heeft heel weinig opleiding gehad, tot haar grote verdriet, alleen wat ze altijd de 'boerenmeidenacademie' noemde – de huishoudschool. Ze vond altijd dat ze hbs of gymnasium had moeten doen. Maar toen ze eenmaal zelf de keuze had, heeft ze nooit initiatieven in die richting ontplooid. Het was geen intellectueel milieu, mijn broers waren ook geen lezers.

Uit de schoolkeuzetest kwam atheneum, dus daar ging ik naartoe, met een pretpakketje; achteraf had ik liever schei- en natuurkunde gedaan. Na mijn eindexamen ging ik sociale geografie studeren. Dat was een compromis. Eigenlijk wilde ik sociologie gaan doen, maar dat ging mijn vader echt te ver. Die vond notariaat meer iets voor mij; dat ging mij weer te ver. Nadat ik mijn docenten jarenlang gek had gemaakt met vragen als 'Wat ís geografie?', 'Wat ís wetenschappelijke kennis?' en 'Wat léér ik hier eigenlijk?', zeiden zij: 'Wat jij doet, is je studie bestuderen; maar daarvoor moet je bij wijsbegeerte wezen.' Toen ben ik overgestapt naar filosofie.

Dus jouw basisvraag was: wat is wetenschappelijke kennis? Jouw vraag was niet: wat is de zin van het leven?

O nee, helemaal niet.

Wanneer ben je je die vraag gaan stellen?

Pas heel laat, denk ik. De vraag naar de zin van het leven is een bijding, een hulpvraag die je moet oplossen om het eigenlijke werk te kunnen doen. De eigenlijke kwesties in de filosofie zijn: hoe houden we het met de dingen uit? Gevolgd door: hoe houden we het met elkaar uit? en: hoe houd ik het met mezelf uit? Het zijn de vragen waar wij het in dit boek ook over zullen hebben. Heel pragmatisch samengevat: hoe richten we de samenleving in in een veranderlijke wereld?

De vraag naar de zin van het leven moet je wel beantwoorden. Als je daar niet op de een of andere manier een formulering aan geeft, kun je niet aan een gezin, een onderneming of een politieke carrière beginnen, niet aan wetenschap en ook niet aan filosofie, misschien wel nergens aan; als je geen antwoord kunt geven op de vraag of het allemaal zin heeft, waarom zou je je dan waar dan ook voor inspannen?

'De rede is een spier die getraind kan worden.'

Maar die vraag naar de zin van het leven staat los van de filosofie.

Ja, het is een beetje de kapstok geworden waaraan de hele filosofie wordt opgehangen, maar dat is niet terecht, ook al zijn op die vraag in de filosofie goede antwoorden gevonden. Eigenlijk is het een heel alledaagse vraag, waar iedereen antwoord op moet zien te geven. De meeste mensen lijken er wel iets op te vinden, want we komen toch maar mooi elke ochtend opnieuw ons bed uit. We gedragen ons in elk geval alsof het leven zin heeft.

Wat schieten we met filosofie op? Wat word ik er wijzer van? Wat weet ik aan het einde van dit boek dat ik nu nog niet weet?

Dat je het met een gerust hart altijd beter mag willen weten. De Chinese definitie van weten is: als je iets weet, houd dan vol dat je het weet. Als je iets niet weet, geef dan toe dat je het niet weet.

De samenleving doet een enorm beroep op ons begripsvermogen. We moeten vooral goed begrijpen waar we mee bezig zijn. Daarom worden we naar school gestuurd, omdat we dingen moeten snappen en een zekere deskundigheid moeten verwerven opdat we later een vak kunnen uitoefenen. Je moet weten waar je mee bezig bent. Als we kinderen opvoeden, zijn we voortdurend bezig ze wegwijs te maken. Het weten van dingen, het begrip hebben van dingen, speelt een enorme rol in ons leven.

Maar begrip is niet altijd even trefzeker. We maken enorm veel vergissingen, daar ontstaan vervolgens veel misverstanden door, en dan worden we ook nogal eens misleid, of we misleiden onszelf. Dat zijn allemaal 'begripszaken' die onze omgang met de dingen bemoeilijken. Als je wilt weten hoe misleiding werkt, waar misverstanden vandaan komen, dan wordt filosofie interessant. Eigenlijk is filosofie niks anders dan dat je een heel alledaags onderdeel van ons gedrag – namelijk dat deel waarin we dingen die we doen, proberen te begrijpen – zo soepel mogelijk laat verlopen. Dat je zo min mogelijk vergissingen maakt. Zo min mogelijk misverstanden hebt met anderen. En dat er zo min mogelijk misleiding is.

Het is heel ingewikkeld om alle vergissingen, misverstanden en misleiding uit je dagelijkse taalgebruik en je kennis te halen. Daar ben je een heel leven mee bezig, en vaak lukt het dan nog niet. Nu kun je natuurlijk zeggen: ik stort me er gewoon in, in het leven, en al die vergissingen en misverstanden en misleidingen los ik werkendeweg wel op. Dat is een prima methode, moet je zeker doen, doe ik zelf ook nog vaak. Maar het is wel zo dat het leven veel aangenamer is als je af en toe de moeite neemt de din-

'Filosofie is efficiënt tobben.'

gen waar je tegenaan loopt te observeren, als je probeert je te verdiepen in waar zo'n misverstand vandaan komt en een beetje gestructureerd gaat nadenken over een situatie, net zo lang tot je hem beter begrijpt.

Ik ben een tobber. Als er iets aan de hand is, ga ik tobben, dan denk ik: verdomme, ik wil van die misverstanden af. Mijn ervaring is dat tobben tijd kost, onaangename tijd; en dat filosofie net zoveel tijd kost, maar veel aangenamer is. Eigenlijk kun je zeggen: filosofie is efficiënt tobben.

Je haalt het verstand erbij om je gevoelens onder controle te krijgen en om te buigen in de goede richting, is dat het?

Niet helemaal. Het verstand kan ook zelf verwarring veroorzaken. Tobben gebeurt als je verstand de dingen weer eens niet kan bijhouden. De emoties rollen over je heen, gebeurtenissen vliegen je om de oren: het leven loopt uit de klauwen. In je ongeduld om er greep op te krijgen, helpt het verstand dat kleine beetje dat je wél snapte om zeep. Het zodanig inzetten van het verstand dat het zichzelf niet overschreeuwt en weer snapt wat er aan de hand is, dat is efficiënt tobben.

Het verstand is een gevaarlijk ding. Het beheerst je emoties nooit rechtstreeks, want daar zijn die emoties veel te sterk voor. En grappig genoeg hóéft dat ook helemaal niet. Het mooie van heftige emoties is dat ze na een tijdje ook wel weer afzwakken; laat ze maar gaan, zij zijn niet het probleem. Emoties hoef je niet zo in de touwen te houden.

Wat je in de touwen moet houden, is juist het verstand. Het verstand kan je tot stilstand laten komen, meestal doordat het twijfelt. Omdat er meerdere alternatieven zijn, allerlei mogelijkheden waar het verstand geen raad mee weet. Of het laat je juist doordraven.

En wie haalt je dáár dan weer uit?

Toch datzelfde verstand. Kijk, het gevoel redt zich wel. Gevoelens zijn min of meer blind. Je kunt heel warm lopen voor verschillende dingen tegelijk. Je wilt vanavond naar je geliefde maar je moet ook iets doen voor je werk. Het verstand zou in staat moeten zijn om te zeggen waarom het in deze situatie belangrijker is naar je geliefde te gaan dan wel aan je carrière te denken. Maar het verstand kan zó gaan aarzelen en twijfelen dat er niets gebeurt. Als je in zo'n situatie je verstand niet goed gebruikt, kan het gebeuren dat je én die ontmoeting met je geliefde laat lopen, én je werk verprutst. De spijt die je daar nog wekenlang over voelt, is ook het werk van het verstand. Het tegenovergestelde van 'onverstandig' is niet 'emotioneel', maar 'verstandig'.

Doen mensen in de meeste gevallen niet gewoon wat ze op dat moment willen, echt diep vanbinnen willen, of ze dat nu wordt aangepraat door hun verstand of niet?

Een beetje wel: als je wilt weten wat iemand echt vindt, moet je kijken naar wat hij doet, en niet naar wat hij zegt. Als iemand zegt dat hij het liefst bij zijn vrouw zou weggaan maar intussen blijft zitten, is hij of aan het liegen, of hij laat zich verlammen door het twijfelende verstand.

Maar het is ook wel weer goed dat we kunnen twijfelen, anders zouden we alleen maar meedrijven op de golven van de werkelijkheid. Het is leuk dat het verstand je een beetje uit je huidige situatie kan trekken, maar er is altijd het gevaar dat je je humeur zit te verpesten. Het verstand maakt je ontevreden. Je zit in een fijn appartement en je denkt: kan het niet ook anders? Iets met een grote woonkeuken en een open haard? Dat is altijd de eerste stap. Maar het andere waar je naar verlangt is er nog niet, en het oude is er volop. Als die situatie zo blijft, als je in je twijfel blijft hangen, dan word je een ontevreden zeikstraal. Dan heb je met al je verstand jezelf tot een klager gemaakt.

Je bent in de jaren negentig lang hoofdredacteur van Filosofie Magazine geweest en daarna nog eens jaren directeur van de Internationale School voor Wijsbegeerte in Leusden. Wat je je hele werkzame leven hebt

gedaan, is eigenlijk het toegankelijk maken van de filosofie voor een breed publiek. Hoe was het filosofische klimaat in Nederland in de periode dat je zelf nog filosofie studeerde? Werd filosofie gezien als iets engs voor wijsneuzen?

Je had grofweg twee opvattingen over filosofie: het werd gezien als óf heel ingewikkeld gedoe van mensen die zwaar op de hand waren en niets liever deden dan spijkers op laag water zoeken, of juist het tegenovergestelde: filosofie is new age-achtig, zweverig gezwets. Beide clichés klopten natuurlijk niet. In de jaren ervoor was een bepaald type filosofie soms wel hip, zoals het existentialisme in de jaren vijftig, wetenschapsfilosofie in de jaren zeventig, Foucault in de jaren tachtig. Maar in de jaren negentig was de filosofie geen factor van belang. Dat heeft ongetwijfeld te maken met het feit dat die periode ook het absolute dieptepunt van de ideologie was. Er heerste zo'n heerlijk neoliberale sfeer: als we nou maar flink in competitie gaan met elkaar, komt het met de economie en dus met het land allemaal prima in orde.

Wat stond jou en je collega's voor ogen toen jullie met Filosofie Magazine aan de slag gingen? Wilden jullie het volk stichten?

Het was puur egoïsme: de oprichters hadden natuurlijk allemaal filosofie gestudeerd en waren zich journalistiek een beetje aan het oriënteren, die schreven stukken vanuit hun filosofische achtergrond en probeerden die ergens te slijten. De Groene Amsterdammer maakte daar wel ruimte voor, Trouw ook, maar het bleef marginaal. Eigenlijk is Filosofie Magazine ontstaan vanuit de gedachte dat we meer filosofische verhalen wilden schrijven dan we in de bestaande kranten en tijdschriften kwijt konden. Dus moest er een blad komen. Het was volledig aanbodgedreven. Maar we dachten natuurlijk ook dat de mensen wel wat aan onze verhalen konden hebben. We vonden dat filosofie meer aandacht verdiende dan het kreeg.

Ik ben in 1993 bij Filosofie Magazine begonnen als bladmanager. Ik moest adverteerders bellen, wat ik afschuwelijk werk vond, maar ik was ook heel gelukkig dat ik eindelijk een plek had gevonden waar ik me prettig voelde. Tot dan ontplofte ik van de richtingloze interesse eigenlijk, en die moest nu in een tijdschrift worden gestoken. Als je mij aan de filosofie overlaat, zit ik alleen nog maar in een kamertje alle kanten op te denken. Het filosofie beoefenen binnen een organisatie die je gaande moet houden was voor mij een heel goede manier om toch iets te doen.

We hadden redactievergaderingen met 35 man, niemand wist hoe het moest en iedereen zat vrolijk door elkaar heen te tetteren. We probeerden wel iets te verdienen met abonnees en advertenties, maar als er iets binnenkwam moest je daar eerst de mensen van betalen die echt niks hadden en anders jammerlijk zouden omkomen. Zelf leefde ik in het begin nog van de inkomsten van een firma in bouwmaterialen: de firma Spandiensten.

Was de gedachte ook meteen dat het laagdrempelig moest zijn, toegankelijk voor een breed publiek?

Ja, al wisten we op dat moment nog niet hoe ongelooflijk ingewikkeld dat is. Als er iets is wat wij hebben ontdekt, dan is het dat het toegankelijk maken van filosofie een ambacht is dat ver voorbij dat van de academische filosofie reikt. We hebben in de loop der jaren nog wel eens kritiek gekregen van filosofen die vonden dat wij veel te populair bezig waren. Maar ons bleek dat het veel gemakkelijker is om een beetje ingewikkeld en in onleesbare taal met vakgenoten over de ideeën van Kant te leuteren, dan die ideeën handzaam en begrijpelijk over het voetlicht te brengen. Dat ambacht beoefenden in die tijd alleen Ger Groot en Arnold Heumakers. Wij moesten het voor onszelf ontwikkelen.

'De *Kritiek van de zuivere rede* is een afgrijselijk boek. Toch staat er geen woord in dat je niet kent.'

De *Kritiek van de zuivere rede* is een afgrijselijk boek. Je leest het zo weg, zeker in de mooie vertaling van Boom. Er staat geen woord in dat je niet kent. Maar je begrijpt het niet! Dat ligt niet aan de taal – de moeilijkheid van filosofie zit hem bijna nooit in de taal. Het alledaagse leven heeft een bijna onbeperkte woordenschat, maar de hoeveelheid taal die in de filosofie wordt gebruikt is overzichtelijk. Bij René Descartes, mijn grote liefde, gaat het over lichaam en ziel en dan heb je het eigenlijk wel gehad. Maar de problemen waarin de doordenkers hun tanden zetten zijn zo taai dat ze met die overzichtelijke taal werelden scheppen waarin je de weg volledig kan kwijtraken. Descartes valt mee, Kant is erg en de allerergste is Hegel. Een vriend van mij heeft ooit een drieregelig citaat van Hegel uitgeknipt en in zijn woonkamer opgehangen. Elke keer als hij die kamer binnen kwam las hij de regels, en elke keer dacht hij: wat betékent het nou, verdomme! En op een gegeven moment had hij hem. Dat is ontzettend leuk. Het is heel bevredigend als je tegen een moeilijke filosoof aanloopt van wie je zeker weet dat áls je probeert hem te begrijpen en daarin slaagt, je dan ook echt iets in handen hebt.

Dat ambacht om ingewikkelde filosofie begrijpelijk te maken, is langzaam ontwikkeld. Er moest een heel nieuwe beroepsgroep ontwikkeld worden, een gilde van mensen die dat kunnen. Dat gilde is er nu, met goeie mensen als Stine Jensen, Rob Wijnberg, Coen Simon, Daan Roovers, de gebroeders Meester en vele anderen.

Ik heb het idee dat de oude Grieken en Romeinen voor de beginneling het gemakkelijkst te volgen zijn, klopt dat?

Ja, daar zijn verschillende redenen voor. Globaal kun je zeggen: hoe langer geleden iets geschreven is, hoe langer de geschiedenis de tijd heeft gehad om de beste zaken uit te selecteren; dus wat daar uit de oudheid in die zeef ligt te rommelen, zijn ook echt de goudklompjes. De rest is weg. Verder zijn het de eerste geschreven teksten, de eerste pogingen om in tekst die specifiek filosofisch-wetenschappelijke greep op ons leven te krijgen. Het domein van de filosofie wordt daar voor het eerst verkend. Dat maakt de Griekse filosofen begrijpelijk – niet allemaal, trouwens. Aristoteles is niet gemakkelijk. Maar over het algemeen kun je die Grieken wel volgen. Dat komt misschien ook omdat de open, stedelijke handelsnaties uit de oudheid meer op die in onze tijd lijken dan, pakweg, de middeleeuwen.

Je bent bijna tien jaar hoofdredacteur en uitgever van Filosofie Magazine geweest; in 2002 werd je directeur van de ISVW. Wat was leuker?

Toen ik eenmaal hoofdredacteur en uitgever van *Filosofie Magazine* was, zei ik tegen mijn lieve Babs: 'Ik weet nu wat ik altijd heb willen worden: hoofdredacteur en uitgever van een populair filosofisch tijdschrift.' Want dat was ik toen. En na mijn eerste dag bij de ISVW kwam ik thuis en zei ik tegen Babs: 'Wat ik nou écht altijd heb willen worden, is hoofd der school.' Er is niets prettiger dan leraar zijn. Als docent krijg je op alles wat je beweert direct commentaar; wanneer je schrijft, moet je maar zien of er reacties komen.

Vonden je ouders het inmiddels ook wel leuk wat je deed?

Mijn vader vond het helemaal fout dat ik filosofie ging studeren, hij zei vaak: 'Waarom ga je niet gewoon wérken?' Maar toen ik Babs leerde kennen en hoofdredacteur/uitgever werd, ging het veel beter tussen mijn vader en mij. Ik wist inmiddels ook iets van omzetverhoging en balansen. Sinds die tijd kan ik het uitstekend met hem vinden. Ik geloof niet dat mijn ouders mijn stukken lazen, dat nou weer niet.

Is erkenning niet wat mensen ten diepste willen?

Ja. Mensen hebben twee machtige drijfveren, waarover we het nog uitgebreid gaan hebben: ze willen bij een groep horen en ze willen er een beetje boven uitsteken. Eigenlijk is erkenning het woord dat van toepassing is als die twee dingen zijn gelukt. De geslaagde combinatie van erbij horen en er uitsteken, dat is erkenning. Daar zit namelijk in dat mensen jou erkentelijk zijn voor iets wat je blijkbaar hebt gedaan voor hen. Je hoort erbij omdat je iets bijzonders hebt gedaan, het hoeft niet eens veel te zijn. Die erkenning is heerlijk.

Ben jij gekomen waar je wilde zijn?

Ja. Dat heeft bij mij lang geduurd, ik had pas op mijn negenendertigste een nette baan met een loonstrook en een dertiende maand, maar het is gebeurd.

Wat is de rode lijn in jouw opvattingen over alle onderwerpen waar we het over gaan hebben?

Het is de moeite waard om aan het verstand te blijven klussen. De rede is een spier die getraind kan worden. Het leven is aangenamer als je redelijk bent. Niet erg romantisch, hè?

Hoe houden we het met de dingen uit?

I

OVER HET WERELDBEELD

Waarom de grootsheid van het heelal ons niet zoveel angst hoeft aan te jagen.

Als het 's avonds donker is en je zit hier voor het raam van jouw boot naar buiten te kijken, naar de sterren en de maan en alles; zie jij dan een wereld die tegenover jouzelf staat, of voel je je opgenomen in het grote geheel en is er sprake van een diepe verbondenheid?

Ik voel me daar totaal niet mee verbonden.

Nee?

Nee. Ik zie iets waar ik natuurlijk wel deel van uitmaak, maar waar ik niet automatisch bij hoor. Het maakt me niet bang, maar wat mij altijd onmiddellijk opvalt is dat ik klein ben en de wereld groot. Eén blik op de sterrenhemel maakt duidelijk dat ik een onderdeel ben van iets wat veel groter is dan ik, en waarvan ik altijd maar een beperkt deel zie. Een zéér beperkt deel, afhankelijk van of je overdag of 's nachts kijkt, en waar je heen kijkt.

Gaat daar niet toch iets beangstigends van uit?

Nee, voor mij niet meer. Maar ik kan me nog altijd goed voorstellen dat in de zestiende eeuw de ontdekking van de enorme omvang van het heelal de mensen de stuipen op het lijf joeg. In de oudheid werd de wereld als tamelijk standvastig en betrouwbaar gezien; een bol in een ordelijk heelal, de kosmos, waar volkomen berekenbare hemellichamen omheen draaiden. In de middeleeuwen was de wereld een platte schijf, door God geschapen en eveneens heel betrouwbaar.

Toen Copernicus begin zestiende eeuw had aangetoond dat de wereld niet alleen toch rond was maar ook nog eens om de zon cirkelde, en dat de zon dus het centrum van alles was in plaats van de aarde, kreeg men langzaam maar zeker de idee dat het heelal om ons heen oneindig is. Het begrip oneindigheid is toen uitgevonden, ook in de wiskunde. Weg was het plezierige besef van een kaasstolp waar wij veilig en beschermd onder zitten. Er bleek een oneindig en open heelal te zijn waarvan wij nog niet eens in het midden zaten ook – dat was dan nog íets geweest.

Iemand als Blaise Pascal werd daar helemaal akelig van. Hij was een gevoelige jongen, wiskundige, beoefenaar van de wetenschap die de meeste zekerheid zou moeten bieden van alle wetenschappen; maar die zich al eindeloos doorrekenend geen voorstelling meer kon maken van waar ze nu eigenlijk

'Als je wereldbeeld aan gort gaat, dan vergaat de wereld zelf nog niet.'

mee bezig was. Uiteindelijk besloot hij dat je moet uitkijken met de *vérité de raison*, zoals de wiskunde, omdat die je in het oneindige brengt, nooit stopt en maar doorredeneert, net zo lang tot je nergens meer houvast hebt. Hij zocht het voortaan in de *vérité de coeur* en beperkte daarmee het terrein van de wetenschap, omdat hij had ontdekt dat de wetenschap je doodsangst kon aanjagen.

Hoe kan het dat wij, of in elk geval jij, die angst niet meer hebben?

Wij zijn ermee opgevoed. Omdat mijn voorouders langzaam maar zeker wenden aan het nieuwe wereldbeeld, word ik er geen moment meer draaierig van. Van Immanuel Kant, die twee eeuwen na Copernicus leefde, heb ik later bovendien geleerd dat je niet ineens bang moet worden van de wereld als je wereld*beeld* aan gort gaat. Daarmee vergaat de wereld zelf nog niet. De daadwerkelijke omvang van het heelal is niet veranderd toen wij ontdekten dat het groter is dan we aanvankelijk dachten. Als je opeens toch bang wordt voor de verschrikkelijke leegte die ons omgeeft, dan weet je zeker dat je in de war bent geraakt van jezelf, niet van de stand van zaken. Van je gedachten over de werkelijkheid en niet van de werkelijkheid zelf, want die is niet veranderd.

Het universum is groot en wij zijn een stipje: dat hebben we geleerd. Sommige mensen noemen dat de onttovering van de wereld. Ze zeggen dat de magie uit de wereld is verdwenen. Maar persoonlijk word ik er wèl blij van; dat is de troost en betovering die het wetenschappelijk wereldbeeld mij biedt. We weten nu iets wat we eerst niet wisten.

Wat zei Kant over dat wereldbeeld?

Hij zei: ontdek hoe je wereldbeelden construeert. Leef niet naïef in de wereld, zodat je steeds denkt: wat gebeurt er nu weer? Bedenk dat je áltijd een wereldbeeld hebt. Dat hoort bij het menselijk tekort: wij kunnen zo slecht waarnemen, zo slecht redeneren, elkaar zo slecht verstaan dat alles wat we samen in elkaar knutselen een gebrekkige manier is om de wereld in kaart te brengen. Kant had in feite een heel simpel trucje: als je je dat eenmaal realiseert, dan moet je vervolgens kijken of er in dat geknutsel van ons niet toch iets te ontdekken valt, iets wat weliswaar beperkt is, maar wat er desondanks voor zorgt dat de menselijke soort er nog steeds is. We slaan weliswaar voortdurend een slag naar hoe de wereld in elkaar zit, maar helemáál inefficiënt was het nou ook weer niet wat we gedaan hebben.

Het was niet volkomen willekeur dat iedereen maar een eigen wereldbeeld opbouwde, daar wat mee knutselde en als het hem niet beviel een volgende bouwde. Nee - het was en is weliswaar beperkt, maar met die gezamenlijke beperkingen zijn we gekomen waar we nu zijn. Dat is troost nummer 1. En troost nummer 2: als we een beetje slim zijn, kunnen we misschien nog een en ander verbeteren ook. We krijgen klappen van de wereld, maar soms vergissen we ons gewoon. Als we dat laatste nou eerst maar eens vermijden, dan krijgen we wellicht ook een paar klappen minder. Dat is het idee van Kant: onderzoek hoe we vanuit onze binnenwereld de buitenwereld vormgeven.

Ik kan iedereen alleen maar aanraden om dat af en toe eens te doen. Om zo nu en dan te onderzoeken hoe wij ons wereld*beeld* vormgeven. Er zitten bepaalde gemeenschappelijke vergissingen in, gemeenschappelijke manieren om onze indrukken van de buitenwereld te verklungelen, die - als we die herkennen - in elk geval bij elkaar kunnen herkennen. Een beetje à la Shakespeare: *Though this be madness, yet there is method in it.* Omdat wij de wereld op dezelfde manier en zelfs een beetje systematisch verklungelen, kun je - als je die systematiek herkent - de reikwijdte en de kwaliteit van het wereldbeeld bepalen, en die zelfs ook verbeteren.

Dit is de grote klus: dat je je probeert te realiseren dat wat jij ziet, altijd maar een bééld is van de wereld. Juist omdat er in de wereld veel meer aan de hand is dan jij kunt zien. Natuurlijk geeft de wereld ons te kennen: als we ons heel erg vergissen in hoe de boel ervoor staat, dan dringt de wereld met het nodige geweld ons beperkte beeld binnen en vertelt ons dat de dingen anders zijn. Maar het inzicht dat we meer in ons wereldbeeld leven dan in de wereld, geeft ons de mogelijkheid om van dat beeld iets te maken. Dat je dat beeld netjes aankleedt en mooi ordent en leuk meubileert - dat is dan ook je leven.

Maar het is wel altijd heel broos en fragiel. Het kan namelijk inadequaat zijn. De wereld kan zich zo verhouden dat jouw wereldbeeld er helemaal niet bij klopt, zo erg dat je elke dag opnieuw ongelooflijke klappen krijgt.

En dan gaat het niet alleen over immense sterrenstelsels.

Nee, het hele verhaal over het grote heelal gaat net zo hard op voor je eigen privé-heelalletje. Wie snapt zichzelf helemaal? Wie snapt de drijfveren van zijn geliefde of zijn buurman volledig? Wat zij doen speelt zich voor je ogen af, maar helemaal begrijpen doe je het niet. Als je dat inziet, kun je je gedeprimeerd van de wereld afwenden, maar je kunt je ook bevrijd voelen omdat je je realiseert dat hét wereldbeeld niet bestaat.

In de zesde eeuw voor Christus schreef Heraclitus al dat de wereld voortdurend verandert.

Hij leed onder de idee dat de wereld dynamisch is en voortdurend verandert en zó vol is met fenomenen dat we steeds van het ene verschijnsel naar het andere hinkelen. Probeer daar maar eens een min of meer constant beeld van te vormen. Dat lukt maar zeer beperkt en toch hebben we zo'n beeld wel nodig, voor het delen van ervaring en het opzetten van projecten waar je met meerdere mensen langere tijd aan moet werken.

Heraclitus ging daarom op zoek naar iets blijvends in alle verandering. Hij wist dat hij die vastigheid niet in de wereld zelf kon vinden, de *fysis*, maar dat hij daarvoor bij de *logos* moest zijn, bij ons begrip van de wereld. Alle materiële dingen vergaan waar je bij staat. Je moet het zoeken in de 'onveranderlijk geldige uitleg'. Alleen kreeg iedereen die met zo'n onveranderlijk geldige uitleg kwam, er van hem van langs. Heraclitus verwijt de wiskundigen dat ze te veel waarde hechten aan ideale vormen. Pythagoras stelt bijvoorbeeld dat de ideale driehoek perfecter is dan alle driehoeken die wij kunnen tekenen. Heraclitus zegt: die ideale driehoek is wel eeuwig en onveranderlijk, maar daarmee is zo'n theoretische driehoek niet automatisch méér waard dan onze klungelig getekende driehoek. Als je te veel waarde hecht aan perfectie, dan maak je jezelf los van de wereld. Want een perfect wereldbeeld houdt geen rekening met de veranderlijkheid van de wereld.

Je kunt geen twee keer in dezelfde rivier stappen.

Zo is dat. Toch is er wel iets constants in al die veranderlijkheid. Kijk naar jezelf, je ziet jezelf van jongs af voortdurend veranderen, maar er blijft ook iets herkenbaars. Bij mij is er inmiddels een been af en een buikje bij, maar als ik naar een reünie van de middelbare school ga, zeggen mensen: 'Zo, René, jij bent ook niks veranderd!' Iemand die totaal veranderd is, is toch hetzelfde gebleven.

Iemand die zich diep verbonden voelt met de wereld, helemaal één, ervaart veranderingen in die wereld misschien veel minder als een probleem dan iemand die zichzelf als een afzonderlijk deel beschouwt.

Ik ken wel momenten waarop dat gevoel van verbondenheid er is. Iedereen kent die momenten waarop hij zich eventjes volledig één voelt met de natuur. Als je in het avondrood over het strand loopt, of in een herfstig bos waar een late zon schijnt. Heel plezierige gewaarwordingen zijn dat. Maar het is óók plezierig dat het slechts korte momenten zijn en dat dat gevoel na enige tijd wordt afgebroken.

Waarom?

Hierom: als je niet een beperkt onderdeel van het geheel bent, dan ben je er eigenlijk niet. Dan is er niks geïndividualiseerd. Dat heb je ook met die wandeling: de zon is niet de zon, het strand is niet het strand, het is één groot geheel, je kunt geen onderscheid maken tussen de verschillende onderdelen, maar je kunt jezelf dus ook niet onderscheiden. Het is wel goed om er af en toe aan herinnerd te worden dat je een ondeelbaar deel vormt van het geheel, maar het is ook erg prettig – en tragisch – om te weten dat je tegelijk een soort zelfstandig onderdeeltje bent, een eenheid met beperkte middelen, waarmee je probeert er zoveel mogelijk van te maken. Je schiet altijd tekort; maar ik zou het wel missen als ik niet van mijn beperkte middelen zodanig gebruik kon maken dat ik na een poosje zou kunnen zeggen: dat is toch lollig.

> 'Je verandert van jongs af voortdurend, maar je blijft toch herkenbaar.'

Dus het is niet zo dat je, op de momenten dat je je een los onderdeel voelt, stiekem verlangt naar dat heerlijke gevoel één te zijn met die rest van de wereld.

Nee, daar heb ik helemaal geen romantische gevoelens bij. Ik hou van de tragische afstand. Met alle gevolgen van dien. Die afstand maakt het mogelijk om aan de wereld te klussen. Dat doe ik graag. Rondrommelen met mijn beperkte middelen en na een tijdje zeggen: dat is toch wel iets aardigs geworden.

Het gaat echt steeds beter, vooral met ons wereldbeeld. Van de wereld weet ik het niet, maar met het beeld gaat het steeds beter. Er is namelijk in onze tijd iets zeer interessants gebeurd. Dat is dat tot nu toe het beeld van de wereld – en dan heb ik het over de aarde – speculatief was. Dat moesten mensen verzinnen. Uit de paar waarnemingen die ze deden, met een gebrekkige telescoop, moesten ze terugrekenen hoe het eigenlijk moest zijn. En dan kom je op een wereldbeeld dat je nooit zelf gezien hebt. Je moest het bedenken, en dat hebben mensen altijd gedaan.

Maar toen in 1961 Yuri Gagarin als eerste mens om de aarde vloog en vanuit zijn raampje naar het bolletje keek, was dat een zeer belangrijk moment. Voor het eerst kon een levend mens met eigen ogen zien: verdomd, het ís een bolletje. Wat we altijd gedacht hebben, is echt waar! Dat heeft een ongelooflijke impact gehad op het denkklimaat van de mensen in die tijd, filosofen als Levinas en Heidegger en Hannah Arendt. Er was een einde gekomen aan een

'Van de wereld weet ik het niet, maar met het wereld*beeld* gaat het steeds beter.'

soort naïveteit in de speculatie. Je zag het gewoon, in één oogopslag.

En wij kunnen dat nu allemaal zien, op Google bijvoorbeeld. Je ziet een klein klotebolletje met zee en met steden, grote brandende fakkels, en daar zitten we allemaal op, zeven miljard stuks. Dat perspectief kan ons helpen onszelf te relativeren, omdat het niet meer zo moeilijk is om die paar andere continenten en steden óók te zien, en te concluderen: die lui zitten in dezelfde situatie als wij! Dat zou wel eens kunnen maken dat we allemaal onze gezamenlijke problemen gaan oplossen. Je kunt de ijskappen zien smelten, de orkanen zien opdoemen, je ziet wat er gebeurt. Dat geeft vertrouwen. Vertrouwen in een mogelijke oplossing: in het feit dat we wellicht in staat zijn de narigheid die we aanrichten te vermijden, en dat we de dingen die we moeten doen, kunnen uitvoeren. Onze kennis verbetert niet lineair. Tweehonderd jaar voor Christus wist de Griek Eratosthenes al dat de aarde een bol moest zijn. Hij berekende zelfs de omtrek en zat er volgens sommige bronnen maar enkele tientallen kilometers naast op de veertigduizend kilometer. Zijn wereldbeeld sneuvelde in de middeleeuwen. Zo gaat dat met wereldbeelden. De vooruitgang gaat met

horten en stoten, maar ik denk wel dat het 21e-eeuwse wereldbeeld oneindig
veel beter is dan dat van vroeger.

Hoe houden we het met elkaar uit?

II

Waarom taal onze glorie en onze misère is.

Vanaf wanneer is een mens eigenlijk een mens? Meteen als baby al?

Een mens is in al zijn levensfasen volledig mens; al in de baarmoeder, vanaf het moment dat hij levensvatbaar is. Alle mogelijkheden die een mens nodig heeft om iets van het mensenleven te maken, zitten er dan in. Goed, ze zijn nog niet uitontwikkeld, maar de vermogens zijn aanwezig. Een embryo kan nog niet lopen, maar de beentjes zijn er. Het vermogen om waar te nemen is er, al ziet de baby in de baarmoeder nog niets. Het vermogen om zich iets te herinneren is aanwezig, al heeft hij nog niets meegemaakt. Het vermogen om te praten is er ook, een heel belangrijk vermogen waarover we het nog vaak zullen hebben. Of het vermogen om te investeren in derivaten.

Al die vermogens om een heel leven te leiden en daar met vallen en opstaan doorheen te kruisen, zijn er. En volgens mij is de aanwezigheid van die vermogens wat een mens tot mens maakt. Mens in het algemeen dan. Een mens in het bijzonder word je pas door wat je met je vermogens doet, door de manier waarop jij je door het leven slaat.

En wat onderscheidt de mens, met al zijn vermogens, van andere levende wezens?

In eerste instantie kun je dat gewoon benaderen via de ontwikkeling van soorten. We zijn geen insecten, dat is evident. Wij zijn het voorlopige sluitstuk in een keten; reptielen werden amfibieën die eieren begonnen te leggen op het strand en zich daarna definitief op het land vestigden en zoogdieren werden. Dat is wel een goede aanvliegroute om het mens-zijn te doorgronden, want hiermee heb je de continuïteit met de dieren geregeld en hoef je alleen nog maar te kijken wat aan het einde van die ontwikkeling een mens nu precies tot mens maakt.

En dan zou ik zeggen dat mensen echt mensen zijn geworden vanaf het moment dat ze in staat waren om hun natuurlijk repertoire – dus het gedrag dat voortvloeit uit de instincten die dieren allemaal heel sterk hebben, en wij trouwens ook nog in heel behoorlijke mate – te vervangen door cultureel repertoire. Of in elk geval: door zelfgemaakt repertoire. Wij kunnen door de natuur ingebakken gewoontes vervangen door zelfgemaakte gewoontes.

In de instincten van dieren zit ook wel ontwikkeling: er zijn dieren die 'beschaafd' biologisch repertoire hebben ontwikkeld, dusdanig dat bijvoorbeeld de mannetjes bij de vrouwtjes blijven zolang de kinderen klein zijn, om hem daarna alsnog te smeren. Maar dat is nog steeds biologisch repertoire, want die dieren kúnnen niet anders. Die ontwikkeling heeft doorgaans te maken met evolutionair voordeel: zonder vader zouden de kindertjes doodgaan, zou er geen nageslacht zijn en de soort uitsterven. Terwijl onze mannetjes en vrouwtjes op elk moment de keuze hebben hun gezin in de steek te laten. Dat is pas echt beschaving.

In hoeverre hangt die vervanging van biologisch door cultureel repertoire samen met taal, of misschien beter gezegd: met denken?

Heel sterk. Je moet je directe behoeftebevrediging kunnen uitstellen en je voorstellingen kunnen maken van hoe het anders zou kunnen. Daar is taal

> 'Taal is het vermogen om slimmigheidjes van talloze mensen op te slaan en door te geven.'

voor nodig. Taal is het vermogen om ervaringen en slimmigheidjes van talloze mensen uit te wisselen, op te slaan en door te geven.

Dieren, vooral kuddedieren, hebben talloze manieren om met elkaar te communiceren. Ze schreeuwen en grommen en duwen en gooien dingen naar elkaar. Al die vormen van communicatie zijn reacties op direct waargenomen gebeurtenissen. Wolven die huilen bij vollemaan zijn niet de gebeurtenissen van het afgelopen jaar aan het evalueren.

Mensen hebben dat duwen en schreeuwen en dingen gooien, de non-verbale reacties op directe gebeurtenissen, grotendeels omgezet in taal. We hebben het merkwaardige vermogen ontwikkeld om niet met een kluit aarde te gooien, maar 'klootzak!' te roepen – en dat komt inmiddels net zo hard aan.

Via de mail kan ik iemand in Nieuw-Zeeland op die manier heel efficiënt kwetsen.

Dankzij de taal is ons geheugen enorm uitgebreid en kunnen we ons al keuvelend voorstellingen maken van situaties die zich nog helemaal niet hebben voorgedaan, maar die we al wel kunnen plannen. We kunnen ervaringen opslaan voor later gebruik, of om door te geven aan onze kinderen, zodat die niet zelf hoeven uit te vinden welke besjes dodelijk zijn en welke juist heel voedzaam. Zonder denken en taal zou elke generatie steeds vanaf nul moeten beginnen.

Zijn we met het denken afstand gaan scheppen tot onszelf?

Tot onszelf, tot de directe omgeving, tot onze arbeid, tot anderen, tot alles eigenlijk. Een zekere vervreemding is het lot van iedere denker. Je bent nooit meer met je volledige aandacht bij het hier en nu; je haalt er altijd van alles bij. Een zebra of ander hoogontwikkeld zoogdier is in belangrijke mate afhankelijk van wat hij ziet, ruikt en hoort. Dáár reageert hij op. Zijn zintuigen bepalen zijn doen en laten. Het verleden en de toekomst spelen geen rol; hij staat zich niet te verlustigen bij de gedachte aan het sappige groene weitje waar hij gisteren is geweest en vanavond weer naartoe zal gaan.

Bij ons is die spontaniteit er behoorlijk af. Wie eenmaal aan het denken is geslagen, leeft nooit meer helemaal in het hier en nu. Je wordt geplaagd door je herinneringen en geteisterd door je verbeeldingskracht, en je bent nauwelijks meer in staat behoorlijk waar te nemen wat zich voor je neus afspeelt.

Met taal kunnen mensen hele werelden creëren, met als gevolg dat we een groot deel van de dag besteden aan mijmeringen over eerder opgedane indrukken en fantasieën over ongekende toekomsten. Wij kunnen helemaal van slag raken door wat we aan de andere kant van de heuvel vermoeden. Dieren hebben dat niet. Wij verstrikken ons in vergissingen en misverstanden; zij nemen gewoon waar. En daarmee hebben ze gelijk.

Beperkt taal ons ook in ons mens-zijn? Hebben we er last van? Mediteren is vandaag de dag populairder dan ooit. Wie mediteert, probeert afstand te scheppen tot zijn talige gedachten, precies om de reden die je noemt: gedachten brengen je terug naar het verleden of laten je vooruitkijken naar een toekomst, en intussen ligt het hier en nu zielig en verwaarloosd in een hoekje.

Ja, mensen mediteren om de herinneringen het zwijgen op te leggen, de toekomstbeelden het zwijgen op te leggen, op te houden met denken...

… en weer mens te worden.

Nee. Dat zie ik anders. Dat de mens een hogere diersoort is die de taal heeft ontwikkeld, is een feit. Het antwoord op jouw vraag – hebben we er last van? – is: jazeker, we hebben er last van. Maar dat wil niet automatisch zeggen dat we er weer van af moeten stappen. Dat kan ook helemaal niet. We kunnen er alleen maar het beste van maken.

Min of meer bij toeval zijn bij ons die gebarentaal en het gebruik van rauwe kreten enorm uit de hand gelopen en verworden tot een volledige en uitermate complexe taal – het Nederlands alleen is al ongelooflijk ingewikkeld, en we hebben hier het grootste woordenboek ter wereld. We hebben woorden bedacht, en een grammatica, waardoor we in één zinnetje een hele wereld kunnen oproepen. *Het is hartje winter en ik heb zin in verse bramen, die niet nu maar wel in augustus rijp zijn en die ik dan ga plukken bij de ISVW in Leusden.* Moet je je even voorstellen wat ik nu allemaal zeg. We zitten hier in een woonark, er is geen braam te zien en er is niets in de buurt wat op de eventuele aanwezigheid van bramen zou kunnen duiden. En toch zien jij en ik nu volle, sappige, donkere bramen voor ons. We kunnen ze bijna proeven.

> 'Wie eenmaal aan het denken is geslagen, leeft nooit meer helemaal in het hier en nu.'

Taal is de glorie en misère van de mens. De glorie is dat ik dit tegen jou kan zeggen, en dat jij nu denkt: in augustus ga ik met René naar Leusden om bramen te plukken. We kunnen het in onze agenda's zetten, we nemen onze geliefden mee, die het ook in hun agenda's zetten. Fantastisch! Taal geeft ons de mogelijkheid projecten op touw te zetten die heel erg afwijken van ons biologisch repertoire. Want als wij ons biologisch repertoire volgden, dan zouden we pas aan bramen denken als het augustus is en we toevallig ergens tegen een bramenstruik aan lopen.

De misère is dat dit vermogen ons ook stoort in ons natuurlijke mens-zijn. Als we een diersoort waren gebleven die volkomen volgens onze instincten opereerde, dan hadden wij een zekere afgerondheid en zelfgenoegzaamheid; we zouden op een relaxte manier het dier zijn dat we waren en we zouden rust hebben. Dat hebben we niet, we zijn onrustig. We zitten hier aan tafel bij mij thuis, maar in ons hoofd zijn we steeds ergens anders. Het lukt ons niet ons hoofd bij de toastjes met kaas hier op tafel te houden. We laten onze gedachten uitwaaieren en dat vinden we ook fijn; maar de prijs die we ervoor betalen, is de onrust in ons hoofd. Die onrust is precies wat je bij het mediteren probeert kwijt te raken.

Kun je zeggen dat het menselijk tekort, het onoplosbare en treurig stemmende feilen dat inherent is aan de mens, een gevolg is van ons denken?

Het antwoord is wederom: ja. Het menselijk tekort is een oordeel ván onszelf óver onszelf. Wij zijn een diersoort die langzaam maar zeker zijn beperkingen heeft ontdekt en die zich daar tot op de dag van vandaag niet bij heeft neergelegd. Het is een enorme glorie om je eigen beperkingen te kennen, want dan kun je binnen die beperkingen optimaal gedrag ontwikkelen en heel ver komen. Je kunt bijvoorbeeld, in plaats van in grotten te blijven wonen, zoiets ongelooflijks als Manhattan bouwen.

In die zin is het menselijk tekort onze grootste zegen.

We hebben ontdekt wat onze beperkingen zijn en zoeken voortdurend middelen om die beperkingen te overkomen – een eigenaardige combinatie van ontevredenheid en overmoed. Dat is een zegen. Maar we kunnen onze beperkingen als mens nooit helemaal overwinnen. Die blijven altijd meespelen, en dat is dan weer de misère: dat we zo onrustig en neurotisch en zenuwachtig zijn, soms. Verdrietig, eenzaam, hard tegen elkaar.

Ons leven wordt allang niet meer strikt instinctief gedicteerd. En we leiden het samen met, of in navolging van mensen die allerlei heel complexe projecten zijn gestart, waar wij zomaar indonderen. De stad Amsterdam was er al voordat ik geboren werd; als ik daar wil wonen, zal ik een manier moeten zoeken om me aan die stad aan te passen. En ik zal me er ook toe moeten verhouden, erover moeten nadenken.

Op welke leeftijd komen wij achter ons menselijk tekort?

Het is er al zodra we geboren worden. Dus we komen er niet op een bepaalde leeftijd achter; het is er zodra wij er zijn. Mensen worden volkomen hulpeloos geboren. Op het moment dat we ter wereld komen, kunnen we nog helemaal niets, niet eens lopen. Onze ouders zijn jaren bezig onze tekorten aan te vullen en wij zijn ons dat totaal niet bewust; we zijn ons in de eerste jaren nog niet van onszelf bewust.

In Frankrijk zeggen ze dat kinderen op de leeftijd van zeven jaar *l'âge de raison* hebben. Van een kind van die leeftijd verwacht de samenleving dat het zelf snapt wat er moet gebeuren – naar school gaan bijvoorbeeld – en zich ook enigszins verantwoordelijk voelt. Het kan worden aangesproken op zijn gedrag omdat er zelfbewustzijn verondersteld mag worden.

Toen ik mijn *âge de raison* bereikte en een jongetje van zeven was, zag ik mijn moeder en oma enorm ruziemaken. Ik ging van schrik in de zandbak zitten huilen. En opeens zag ik mezelf zitten, huilend en wel. Dat moet de eerste oprisping van zelfbewustzijn zijn geweest. Ik kan me heel sterk herinneren dat ik naar mezelf keek en dacht: wat ben jij aan het huilen! Ik had twee dingen tegelijk: die directe emotie plus het beséf van de directe emotie. En met het besef komt ook het oordeel: je huilt. Doe niet zo zielig. Dat moet de eerste oprisping van redelijk zelfbewustzijn zijn geweest.

Onze beperkingen stimuleren ons om dingen te doen, te leren, onszelf te verbeteren, zeg je. We worden voortgedreven door de wil ons te ontwikkelen. Maar die drift om te leven en te groeien hebben planten en mieren ook.

Van planten vermoed ik eerlijk gezegd dat ze tijdens hun leven in hoge mate een geautomatiseerd programma afdraaien. Er is veel *élan vital* bij een plantje dat door het asfalt heen groeit, maar het is zelf volkomen afhankelijk van de omstandigheden. Het wordt vermoedelijk niet steeds handiger in het leven. Zo zal het ontwijken van een aanstormende auto altijd een probleem blijven. Bij mieren is dat anders, die zijn in hoge mate sociaal en hebben een taakverdeling die maakt dat verschillende mieren in de kolonie eigen specialisaties ontwikkelen. Maar ook mieren lijken behoorlijk vast te zitten in geautomatiseerd gedrag.

Dieren hebben een aangeboren repertoire en leren bij door imitatie en vallen en opstaan; wij dus ook. Maar wij hebben door ons besef van waar we mee bezig zijn onze leercurve ook nog eens in eigen hand genomen. Wij reageren niet meer alleen op de gebeurtenissen. Onze natuurlijke automatismen, met je handen eten bijvoorbeeld, worden zo vroeg mogelijk overschreven door onnatuurlijk gedoe met mes en vork. Sommige kraaien kunnen dat trouwens ook. Ze vouwen takjes tot kleine hengeltjes om iets uit een gaatje te peuteren. Maar de mens is er toch wel echt een absolute ster in. Dat komt, denk ik, omdat wij het imiteren van volwassenen sterk aanmoedigen en omdat wij veel spiegelneuronen hebben. De processen van *trial-and-error* worden niet aan individuen overgelaten, hoezeer we de spontaniteit van onze doerakjes ook op prijs stellen, maar we besteden minstens zestien jaar aan scholing. Zo dragen wij door andere mensen opgedane ervaring over aan de nieuwkomers.

Om met Kant te spreken: de mens is het enige dier dat opgeleid moet worden. Wij cultiveren, disciplineren en civiliseren elkaar als bezetenen. We rekenen er bovendien op dat ieder individu op een gegeven moment dat proces in eigen hand neemt. Eerst worden ons onnatuurlijke automatismen aangeleerd door anderen en uiteindelijk beginnen we zelf nieuwe gewoontes te verzinnen, die wij weer aan volgende generaties doorgeven. 'In educatie schuilt het grote geheim van de menselijke natuur', zoals Kant zegt.

We stapelen de kennis op, elke generatie metselt er weer een laagje bij.

En je kunt door al die lagen die je op elkaar stapelt de natuurlijke ontwikkeling totaal smoren. Ook hier weer: glorie en misère. Ook hier weer: we zijn heel goed in *life long learning*, maar het is onze glorie en misère. De terug-naar-de-natuurromantiek blijft met regelmaat de kop op steken.

Is de vraag 'wat is de mens?' de kernvraag van Kant of van de filosofie in zijn geheel?

De kernvraag van de totale filosofie, zou ik zeggen. Maar Immanuel Kant heeft zich er wel bijzonder druk om gemaakt. De mens is niet af bij zijn geboorte. Wij kunnen onze natuurlijke automatismen door zelfgemaakte gewoonten vervangen. Dat maakt de vraag 'wat is de mens?' een dynamische kwestie. Het gaat niet alleen om wat wij zijn, maar ook om wat wij van onszelf kunnen maken. Dankzij het merkwaardige vermogen om de slimmigheden waarmee de vorige generatie eindigt tot het beginpunt van de volgende te maken, is de mens heel ver gekomen in het creatief variëren van gedrag.

Via steeds nieuwe antwoorden op de vraag 'wat is de mens?' legt generatie na generatie verantwoording af over wat er bereikt is en wat de lessen voor de toekomst zijn. Als je het zo bekijkt gaat het niet alleen meer om wat wij kunnen weten, maar vooral ook om wat we daarmee moeten doen, om er ten slotte het beste van te mogen hopen. De grote vragen van Kant – Wat kan ik weten? Wat mag ik hopen? Wat moet ik doen? – vormen de vaste agendapunten voor een diersoort die zichzelf generatie na generatie aan het verbeteren is.

Het doel van Kants grote kritieken – de *Kritiek van de zuivere rede, Kritiek van de praktische rede* en de *Kritiek van het oordeelsvermogen* – was te zorgen dat dit gezamenlijke civilisatieproject het leven werkelijk ten goede zou komen. De rede moet zijn beperkingen kennen bij het overschrijven van de natuur. 'Kritiek van de zuivere rede' betekent 'begrenzing van de zuivere rede' en dus niet alle remmen losgooien in een ongelimiteerd 'Westers rationalisme', zoals Kant vaak verweten wordt. Dat zie je trouwens vaker, dat filosofen de schuld krijgen voor datgene wat ze juist wilden voorkomen. De rede moet beperkt worden om het leven vooruit te helpen en het niet te verstoren of zelfs te verwoesten. We hebben mogelijkheden om in te grijpen in de natuurlijke gang van zaken en ons gedrag te veranderen dankzij ons zelfbewustzijn en ons vermogen om ervaring te delen. Tegelijk is er het gevaar dat we met al onze rationaliteit het leven uit de mens persen en dodelijk ongelukkig worden. Het leven is een hachelijke zaak.

Welke grote stromingen hebben in de geschiedenis van de filosofie antwoord gegeven op de vraag wat de mens is?

Volgens mij zijn er eigenlijk maar drie mensbeelden, en tussen die drie bestaat ook nog eens minder oppositie dan we vaak denken. De eerste groep is die van de *empiristen*, de mensen die vinden dat we boven alles zintuiglijke wezens zijn en dat we vanuit onze empirie, onze ervaring, alles opbouwen. Mensen zijn in die visie ervaring-*enhancers*. Wij mensen kunnen, door onze eigen geschiedenis te kennen, ervaring heel efficiënt inzetten voor de toekomst; je hoeft eigenlijk alleen maar te kijken naar wat er geweest is en naar wat we op dit ogenblik waarnemen. Aristoteles was zo'n man die uit de ervaring wilde spreken, een man van de wetenschap. Het is niet toevallig dat hij dokter was. Dokters doen dat: die kijken eindeloos naar zieke mensen, ze bouwen ervaring op en zien ergens een lijn in en komen zo geleidelijk tot diagnoses en therapieën. Doktersachtige types als Hippocrates en Aristoteles hadden veel aan die wetenschappelijk-empiristische benadering.

Dan heb je de *rationalisten*. Die zeggen: je moet niet kijken naar wat we tot nu toe hebben meegemaakt, en al helemaal niet naar al die samengebalde zintuiglijke ervaring, want dan blijf je maar in dat biologische spoor steken. Wij moeten ons juist alternatieve voorstellingen vormen: ideeën van zaken die zich nog niet in de empirische werkelijkheid voordoen. We maken een wenkend perspectief en laten ons daardoor leiden. In plaats van dat we voortgeduwd worden door onze ervaringen, worden we aangetrokken door onze voorstellingen. De grote man van de rationalisten is Plato. Je krijgt volgens hem geen idee van een rechtvaardige samenleving door empirisch onderzoek te doen naar huidige samenlevingen. Die bestaande samenlevingen zijn namelijk niet rechtvaardig. Dat is nu juist het probleem. Wij zijn daarom gedwongen om ons een beeld te vormen van een werkelijkheid die er nog niet is, om vervolgens in de werkelijkheid naar dat idee toe te werken. Je moet de veranderlijke empirie tegemoettreden met constante ideeën.

De derde club zijn de zogenaamde *voluntaristen*: *voluntas* is wil. Zij zien mensen in eerste instantie als wezens die zich min of meer naar believen op de wereld oriënteren. Mensen doen wat hun begeerten en belangen en hartstochten hun opdragen. De ene keer hebben ze belang bij een of andere traditie en zetten ze zich daarvoor in; een andere keer hebben ze belang bij iets nieuws en gooien ze zich op de creatieve destructie. In deze visie is de mens een puur door de wil gedreven figuur en zijn empirie en rationaliteit daaraan ondergeschikt. De sofisten hadden dit mensbeeld het sterkst, die zeiden: we gaan niet eindeloos naar de natuur en naar de mens loeren zoals een dokter doet; we gaan ook geen ideeën maken waarmee we de wereld kunnen aanpassen, zoals een politicus doet. Wij gaan gewoon de straat op en met de mensen praten. We vragen ze wat hun belang op dat moment is. En dan gaan we ze helpen om die belangen om te zetten in iets concreets: het winnen van een rechtszaak of het vormen van een gezin.

'Een beeld vormen van een wereld die er nog niet is.'

Is er naast die drie grote stromingen eeuwenlang nooit een vierde gekomen? Geen enkel nieuw inzicht, geen briljant nieuw idee?

Dat zou mij zeer welkom zijn, al was het maar voor de afwisseling, maar ik ben nog geen serieuze kandidaat tegengekomen. Dat komt denk ik omdat de richtingen, de mensbeelden, gebaseerd zijn op de in de mens algemeen aanwezige vermogens. We zijn verlangende, waarnemende, pratende wezens; dus passies, empirie en ratio zijn de zaken waarmee we moeten werken.

III

OVER DE ZIEL

Waarom de zin van het leven een zaak van de geest is en waarom de ziel niet zonder lichaam kan.

Waar zit jouw ziel?

Ik vind het woord 'ziel' nuttig voor alle ervaringen, emoties en inzichten die ik dagelijks opdoe. Mijn lichaam is de toegangspoort tot de buitenwereld. Het is ook het theater waarin al mijn nostalgische verhalen en toekomstdromen opgevoerd worden. Ik kan goed leven met de gedachte dat de ziel verdwijnt als het lichaam ermee ophoudt. Volgens mij bestaan er geen zielen zonder lichamen; ik heb nog nooit een ziel zonder lichaam waargenomen.

Ziel en lichaam zijn een intieme eenheid, maar je kunt niet precies aanwijzen wáár in het lichaam de ziel zit. Je kunt hem niet uitsluitend in het brein lokaliseren. Net zomin als je de schade die ik heb aangericht met mijn kwade dronk van gisteren kunt aanwijzen op een foto van mijn lever, zo kan neurobioloog Dick Swaab nooit achterhalen wat ik voor liefs tegen mijn eerste vriendinnetje zei op dat zeiltochtje in 1969 op het Paterswoldse meer. Al dat verschillende zielsgeluk zou ik niet willen weggooien.

Maar het staat voor jou dus vast dat je ziel in je lichaam zit? En met dat lichaam sterft?

Het lijkt me verstandig Aristoteles en Descartes daarin gehoorzaam te volgen. Lichaam komt van 'licnam', lijk, het dode lichaam: de ziel is het geheel van gebeurtenissen dat je mist als je de koude hand vastpakt van iemand die gestorven is. Het is de afwezigheid van warmte, van gebaren, het is datgene waar je om huilt. De Grieken noemden een lijk *a-psychès,* zonder ziel. Aristoteles verstond onder de ziel: beweging, waarneming, begripsvermogen. Descartes maakt precies hetzelfde onderscheid tussen lichaam en ziel. 'Verder kwam het bij me op dat ik me voed, dat ik loop, ervaar en denk', schrijft hij in zijn *Meditaties*. 'Deze activiteiten bracht ik in verband met de ziel.' Het lijk is volgens Aristoteles en Descartes alleen maar materie, anders dan een levend lijf waar energie doorheen stroomt.

Is de ziel een lekker onderwerp, voor filosofen?

Nou en of. Enorme hoeveelheden lange, nachtelijke gesprekken heb ik er met mijn vrienden over gevoerd, in mijn middelbareschooltijd al. Dan zat ik van die diepe filosofische gedachten te ontwikkelen als 'het komt eropaan anderen te ontzien zonder jezelf geweld aan te doen.' Mooi hè. Dat vonden mijn vriendinnen nou ook. Ze konden zo goed met mij praten, dat ze niet meer wilden vrijen. Een harder bewijs van het onderscheid tussen lichaam en ziel is nauwelijks denkbaar!

'Zielig is sneu, geestig is vrolijk.'

Het is een interesse. Interesse is trouwens ook een mooi woord, *inter-esse*, dat betekent letterlijk: tussen de zijnden. Datgene wat er tussen mensen is. En wat er tussen mensen is, is puur ziel; geen lichaam. Zielsverwantschap, zielig, zielenroerselen: er hangen mooie woorden rond het begrip ziel. We zouden het verschil tussen de woorden 'geestig' en 'zielig' eens diepgaand moeten onderzoeken. Zielig is meer individueel, geest meer het gezamenlijke. Zielig is sneu, geestig is vrolijk.

Zijn ziel en psyche hetzelfde?

Ziel en psyche wel, maar ziel en geest niet. Volgens mij is het handig om eerst een onderscheid te maken tussen lichamelijke en mentale processen, en dan die mentale processen nog weer onder te verdelen in ziel en geest. Bij de ziel gaat het om emoties, waarnemingen en aandoeningen die iedereen individueel ervaart. Iedereen heeft pijn, maar leg maar eens aan de dokter uit hoe jouw hoofdpijn voelt. Hierbij speelt je lijf rechtstreeks een rol. Je zintuigen zorgen ervoor dat je iets kunt waarnemen of kunt genieten van de zon op je huid. Lichaam en ziel zijn onlosmakelijk met elkaar verbonden.

Maar er zijn ook mentale verschijnselen die uit samengebalde ervaring en overleg van talloze individuen stammen. Neem de grondwet, of ons hele rechtsstelsel. Dat laatste heb ik nog nooit waargenomen, ik heb het zeker niet individueel voortgebracht, maar ik richt me ernaar en word heel opgewonden als iemand er drastische veranderingen in wil aanbrengen. Het recht is een bovenindividueel mentaal product, een product van de geest.

Hedendaagse filosofen lijken meer geïnteresseerd in de ziel dan in de geest.

Zorg voor de ziel staat meer in de belangstelling dan het onpersoonlijke algemene belang, zonder meer. We leven in een tijd van grote wereldomspannende gebeurtenissen. Dan raken mensen begrijpelijkerwijs geïnteresseerd in hoe je je eigen zielenroerselen een beetje in de touwen kan houden. Dat filosofie zich bezighoudt met hoe wij moeten leven, juich ik alleen maar toe, al zou ik zelf ook wel weer iets meer aan de filosofie van de geest willen doen.

Beroepsfilosofen hebben een duidelijke taak in de samenleving. De filosofie hakt de knoop over de te volgen lijn in iemands privéleven of de samenleving nooit door. Maar de filosofie levert fantastische halffabricaten voor ieders levensopvatting en heeft methodes om de degelijkheid van iedere mentale constructie, die door ziel of geest wordt voortgebracht, te beproeven.

Het verstand is de slaaf van de passies; is het ook de slaaf van de ziel?

Het leven is een wisselwerking tussen lichaam en ziel, of eigenlijk liever: tussen emoties en verstand. Een mooi voorbeeld bij Seneca – en dat heeft ook te maken met waarom ik denk dat het goed is om lichaam en ziel te scheiden – is de brief aan Marcia waarin hij uitlegt hoe verdriet werkt. Marcia heeft haar kind verloren en is daar reddeloos verdrietig onder. Seneca wijst haar erop dat het natuurlijk verloop van emoties er allang voor had moeten zorgen dat zij haar leven weer had opgepakt. Er is blijkbaar een 'onnatuurlijke' oorzaak aan het werk die het verdriet stand doet houden. Volgens Seneca is dat uitgerekend het verstand, door het verdriet vast te zetten in een eindeloos herhaald verhaal en zo het natuurlijke wegebben van de emotie tegen te houden. Hier wordt het verstand niet aangeprezen om de emotie eronder te krijgen, maar juist als onnatuurlijke boosdoener aangewezen. Het verstand moet zich niet overschreeuwen, niet de macht grijpen.

Als het onnatuurlijk was, zouden we het toch niet zo doen? Dan zouden we anders reageren.

Ja en nee. Als je het eerste jaar na de dood van een geliefd persoon niet verdrietig bent, dan ben je geen normaal mens. Maar het is niet natuurlijk dat je er nog jaren daarná aan blijft lijden. Huilen, van slag zijn, dat is biologisch repertoire – en die emoties repareren zichzelf na een tijdje, zoals een wond ophoudt met bloeden. Maar je kunt dat biologische repertoire ook vervangen door *cultureel* repertoire, waar ik op zich enorm voor ben, maar dat ook zo zijn risico's met zich meebrengt. Iemand die zijn partner verliest, zou daar puur gelet op het biologisch repertoire, redelijk snel overheen zijn. Maar wanneer je blijft dromen over de steeds mooiere eigenschappen van je partner en elke dag huilt boven zijn foto, houd je kunstmatig het verdriet vast. En dat is riskant, het kan je leven verpesten. Dat is waar Seneca voor waarschuwt. Hij suggereert ook een oplossing. Je kunt er met je verstand voor zorgen dat datzelfde verstand je leven niet verzuurt.

Is het niet verleidelijk om, wanneer je ziek wordt, toch in het voortbestaan van de ziel na de dood te gaan geloven? Denk je niet soms stiekem dat er heus wel iets van je overblijft?

Nee, dood is weg, vrees ik. Er wordt al eeuwen veel gespeculeerd of de eigenschappen van een levend lijf ook na het verscheiden in een andere wereld voortbestaan. Heel verleidelijk, maar zoals ik al zei: laten we vooral Aristoteles en Descartes gehoorzaam volgen. Die begonnen daar niet aan. Deze wereld is al ingewikkeld genoeg, we moeten de zaken niet compliceren door er nog eentje bij te verzinnen.

De neurobioloog Dick Swaab heeft duizenden plakjes hersenen van overleden mensen onder de microscoop gelegd en daar geen zielsactiviteiten in aangetroffen. Ze voeden zich niet, ze bewegen niet, ze geven geen opdrachten aan andere cellen: er zit geen leven meer in. Ik ben heel blij met neurofysiologische bewijzen van wat eerst vermoedens waren. Ik heb ook niet zoveel zin om me nu al bezig te houden met het voortbestaan van de ziel na de dood. Ik richt mij zo lang mogelijk op het leven en de levenden.

En overigens: zolang er een fotootje van mij in huis staat, waar ik hier nog rond. Die herinneringen die anderen aan iemand hebben zijn lang niet zo levendig en intensief als de aanwezigheid van de oorspronkelijke persoon, maar er is een soort spoor van de bijdrage die iemand aan de club heeft geleverd. En dat is veel waard. Ik denk dat dat ongeveer de zin van het leven is: de bijdrage die een individu aan het geheel geleverd heeft. Angst voor de dood is trouwens een typisch zielsfenomeen.

Is het ook niet de meest fundamentele angst van mensen?

Dat denk ik niet. Ik denk juist dat het géén diepe oerangst is. Je hebt als mens een diepe angst voor akelige dingen, en dat is maar goed ook. Maar volgens mij begint de angst voor de dood altijd met de angst voor de dood van een ander en nooit met de angst voor de dood van jouzelf. Dat is veel te abstract. Je hebt totaal geen zintuiglijke ervaring met de dood, je hebt het nooit beleefd. Je eigen dood is eigenlijk geen emotie, maar een idee. Het is heel *sophisticated*. Je moet echt opgevoed, opgeleid zijn om angst voor de dood te kunnen hebben.

Zeker weten dat het na je dood ophoudt, is ook een dogma.
Ja. Toch voel ik me wel comfortabel bij de gedachte dat er niks is. En dat heeft te maken met de waarde die ik hecht aan wat er wél is. Wat mensen tot mensen maakt, is wat ze onderling doen, wat ze bijdragen aan het grote geheel. En dat is, denk ik, ook de plek waar we de zin van het leven moeten zoeken: in dat wat we met elkaar gaande houden. Het grappige is dat je dan ook een bepaald soort onsterfelijkheid krijgt, namelijk de onsterfelijkheid van de soort. De individuen sterven als ratten, maar die soort, die gaat maar door.

'Je eigen dood is alleen maar een idee. Het is heel sophisticated om daar bang voor te zijn.'

Als je de waarde van een mensenleven daarin zoekt, in datgene wat mensen met elkaar tot stand brengen, dan heb je iets te pakken wat te maken heeft met een gemeenschappelijke geest. De *anima mundi,* de wereldziel – of wereldgeest, zou je het in dit geval misschien beter kunnen noemen – is precies datgene wat helemaal afhankelijk is van de zeven miljard mensen die hier nu zijn, en van een hele hoop mensen die er al geweest zijn, en van de mensen die er nog komen. Ik kan natuurlijk niet bewijzen dat er hierna niks is, maar ik heb het eigenlijk liever niet. Al je zingevende energie moet volkomen toegaan naar de levende wereld en bestaande mensen.

IV

OVER VERANDERING

Waarom wij alles willen veranderen en tegelijk de dingen willen laten zoals ze zijn.

Ik heb hier een column uit januari 2013 van de oude Henk Hofland, in 1999 uitgeroepen tot 'journalist van de eeuw', die gaat over nieuwe gadgets en apparaten. Dit schrijft Hofland: 'Het kan aan mijn leeftijd liggen, maar langzamerhand begin ik de pest te krijgen aan die onophoudelijke stroom van vernieuwingen die niets wezenlijks aan het bestaan toevoegden behalve de onuitgesproken dwang om het oude, het achterhaalde, af te danken, terwijl dat nog uitstekend bruikbaar was, me op mijn wenken bediende.'

Dat is weer zo'n rare basisparadox waarmee we op de een of andere manier in balans moeten komen: aan de ene kant worden we onweerstaanbaar aangetrokken door het nieuwe en onverwachte. We zijn als de dood voor sleur en zoeken verandering op.

Aan de andere kant hebben we een diepe drang naar vastigheid en willen we juist dat de dingen níét veranderen. We willen zelf ook herkenbaar zijn en blijven. Op het moment dat we gaan trouwen, hopen we dat dat huwelijk voor altijd is. Dierbare spullen moeten we wapenen tegen de tand des tijds. De laptop mag niet kapotgaan, het tuinhekje moet niet wegroesten, meubels moeten mooi blijven. Het onveranderlijke, het blijvende oefent net zo'n grote aantrekkingskracht op ons uit als het veranderlijke en nieuwe.

Die drang naar het nieuwe is gemakkelijker te begrijpen. Een kind moet op pad en dingen ontdekken, anders komt hij niet verder; we worden geboren met een sterke wil om de wereld te onderzoeken. Maar die behoefte om alles te houden zoals het is: waar komt die vandaan?

Dat is de drang om jezelf als het ware door te zetten. Als er geen voedsel in de buurt is ga je voedsel zoeken om niet te verkommeren; je moet het bestaande

– jouw lichaam – van brandstof voorzien. Maar ook in tijden van overvloed voeg je het liefst nieuwe dingen toe aan wat je al hebt. Je wilt blijvend en eeuwig zijn.

Eigenlijk willen we onsterfelijk worden?

Ja, misschien is dat het wel. Iedereen ziet dat het absurd is, maar we gedragen ons tegen beter weten in wel alsof dat het doel is. Het is inderdaad een drang die de oneindigheid als perspectief heeft.

Hoe komen we daarop? Waarom willen we dat?

Goede vraag. Als je om je heen kijkt, zie je dat alles voornamelijk verandert. Je warme voedsel wordt koud, je koude drankje wordt warm, zeeën stijgen en dalen en bergen kalven af; alles verandert constant. Als je de zaken op een rijtje probeert te zetten, ontdek je al snel dat het verdomd moeilijk is ergens een definitie van te geven en na een tijdje te concluderen dat die definitie nog steeds geldig is, dat alles is gebleven zoals het was. Zo kwam Heraclitus tot zijn uitspraak 'panta rhei', alles stroomt, niets blijft. Hij wijst erop dat je doodongelukkig kunt worden van je ingeboren neiging om alles vast te willen houden, want als je goed kijkt zie je dat alles verandert. We zien dat de mensen om ons heen er een tijdje zijn en daarna verdwijnen. Theologen zien daarin een reden om in God te geloven – stervelingen kunnen nooit uit zichzelf op het idee van de eeuwigheid zijn gekomen, het kan niet anders dan dat een hogere macht ze daarover heeft geïnformeerd. We hebben overigens wel meer absurde doelen. We willen de hoogste perfectie bereiken; we willen volledig vrij zijn.

> 'Nieuw is niet per se beter; béter is beter.'

Misschien is het antwoord op je vraag waarom we oneindigheid willen, heel eenvoudig dat het onze levensdrang is, die voortkomt uit lijfsbehoud. Zodra je bent geboren, wil je dat dingen blijven. Je wilt blijven leven. Dat instinct, die passie, is veel ouder dan ons beperkte vermogen erover na te denken; maar sinds we erover nadenken, moeten we constateren dat er iets blijvends is in alle verandering. Een essentie. Zonder die essentie, zonder iets wat waarneemt, zouden we fluctuerende processen zijn, waarin niets beklijft, waarbij nooit iets uit het ene stadium wordt meegenomen naar het andere stadium: dan was je een soort knipperlicht, een flitsende, uitsluitend op de buitenwereld reagerende set moleculen. Niets zou maken dat wat je gisteren hebt gedaan, ook vandaag nog op de een of andere manier relevant is; of dat het plan dat je vandaag maakt, morgen daadwerkelijk uitgevoerd kan worden.

Dat dat allemaal toch wel gebeurt, dat we naar het verleden kunnen teruggrijpen en vandaar en vanuit het heden iets kunnen meenemen naar de toekomst, veronderstelt een soort voertuigje, dat weliswaar zelf ook verandert, maar dwars door alle veranderingen heen altijd herkenbaar is: het ik. Het ik moet als het ware de drager zijn van alle dingen die je meemaakt.

Jij bent geen theoloog en ook niet religieus; hoe verklaar jij dat mensen zichzelf aanpraten dat dingen voor altijd en eeuwig zijn, terwijl ze vanaf hun geboorte alleen maar bewijzen zien van het tegendeel?

Ik denk zoals gezegd dat het een diepe levensdrang is. Dat je die hele behoefte simpelweg kunt terugvertalen naar de wil om er te zijn; naar onze levenswil. Die wil is er op het moment dat jij ter wereld komt. Zodra je bent geboren, wil je dat dingen blijven. Je wilt blijven leven, om maar eens wat te noemen, terwijl het leven zeker voor een baby toch één grote aanslag op het leven is: hij heeft niks anders dan zijn grote keel om duidelijk te maken dat hij wil blijven.

De oneindige wil om te blijven, is voor elk mens een gegeven. Tegen de tijd dat je doodgaat is dát ook precies de wil die zich eigenlijk nauwelijks het zwijgen laat opleggen. Je wílt namelijk niet dood, dus verzet je je tegen de dood, en die 'je' die zich verzet is eigenlijk gewoon die levenswil, een instantie in jou die heeft gemaakt dat je bent geworden wie je was, die jou bewoog, die in al je acties als motor heeft gefungeerd. Die motor krijg je zomaar niet stil. Je verstand, dat mét Heraclitus best weet dat alles veranderlijk is en helemaal niet oneindig, en dat jij dus ook sterfelijk bent en dat er helemaal niks oneindig is, heeft daar een hele klus aan. Dat krijgt het haast niet voor elkaar om die onvoorstelbare levensdrang te stillen.

Wie moet dat dan wel voor elkaar krijgen?

Uiteindelijk toch je verstand. Je verstand, de *logos*, ziet dat jij geneigd bent voor het oneindige te leven, of tot in het oneindige te willen leven, en het enige wat die logos vervolgens kan doen, is jou erop wijzen dat je dan enorm in botsing zult komen met allerlei gebeurtenissen die je oneindigheid keer op keer beperken. Dat verstand is zoals gezegd zwak, maar het is toch de instantie die moet maken dat je niet voortdurend als een soort biljartbal heen en weer wordt gestoten.

Want zo gaat dat in het leven, net denk je dat je de boel netjes hebt geregeld en *bam!*, daar komt weer iets waardoor je op je eigen eindigheid stuit. Je hebt een leuke partner en die gaat weg. Je huis fikt af, je raakt je baan kwijt, je kind gaat het huis uit. Allerlei dingen blijken toch niet oneindig te zijn. En de enige instantie die jou kan leren je op oneindigheid gerichte wil op toch min of meer eindige dingen te richten, is je verstand. Zodat je de eindigheid van datgene waar je heel erg emotioneel bij betrokken bent en waar je je volop in stort, als het ware in je denken meeneemt. Zo ontwikkelt je verstand zich als een soort toeschouwer bij al je vallen en opstaan.

Waardoor je pech en tegenslag incalculeert.

Pech, tegenslag, maar vooral: verandering. Eindigheid. Je kunt tegenslagen niet incalculeren, want je weet niet waar en wanneer het misgaat. Maar je kunt wel een soort alertheid ontwikkelen voor de algemene mensenpech, zodat je de bijzondere pech die jóú treft, beter kunt dulden. Op die manier kun je je juist wel vol in het leven storten, zonder al te ongelukkig te worden als er weer iets afloopt. En dat kun je jezelf langzaam leren. Noem het humeurmanagement. Humeurmanagement is dat je je oneindige wil precies laat aansluiten bij die eindige projecten die in jouw bereik liggen.

Kun je jezelf daar echt in trainen?

Ja, daar kun je jezelf zeker in trainen. Je kunt architect worden van je passies door je zintuiglijke en verstandelijke voorstellingen steeds helderder te maken. Je leest iets – bijvoorbeeld de *Meditaties* van Descartes, telt maar zestig pagina's – en je praat erover met mensen. Misschien trek je eens een hele vakantie uit voor de drie Kritieken van Kant en praat je met nog weer wat andere mensen. Als je vervolgens de werking van hartstochten en verstand bij mensen in het algemeen begrijpt, ga je je eigen avonturen evalueren. Eerst een paar oude en dan geleidelijk de steeds jongere belevenissen, net zolang tot je toe bent aan je huidige bezigheden. En dan, heel voorzichtig, laat je je verworven inzichten eens los op geplande activiteiten.

En je kunt jezelf daarbij ook nog een worst voor de neus hangen, een doel stellen: namelijk de paradoxale situatie dat als je je oneindig doorstrevende levenswil ook nog leert met je eigen eindigheid om te gaan, jij – tijdelijk – iets eigens wordt. En dat 'tijdelijk en beperkt iets eigens zijn', dát is wat wij karakter noemen. Je vindt jezelf. Van dat beperkte onderdeel van het oneindige kun je vervolgens bepalen of het zin heeft gehad of niet. Dat maakt, grappig genoeg, zonder beroep op hogere krachten of wat dan ook, dat je verblijf in die grote veranderlijke wereld nut heeft gehad. Niet een oneindig nut, want je gaat dood. En je wordt ook niet oneindig herinnerd door andere mensen, dus je verdwijnt. Maar ooit was je er.

Maar toch. Ik kan heel veel dingen bedenken die je rationeel misschien best kunt begrijpen als je je best doet, maar waarbij je gevoel heel andere dingen schreeuwt dan je verstand. En bijna altijd wint het gevoel het dan van het verstand.

Het verstand is een zwakke broeder, maar wat het wel kan, is beperkingen opleggen. Bijvoorbeeld aan de wil. De wil is onbeperkt, maar het verstand kan dat begrenzen. Natuurlijk moet het verstand nooit zo sterk worden dat het alle gevoel uit een mens knijpt, want als je alle wil eruit knijpt heb je nergens zin in en dan doe je ook eigenlijk niks, je hebt geen motor, dus er gebeurt niks – het zou eigenlijk betekenen dat je een soort fakir moet worden, en dan vind ik dat het verstand te ver is gegaan.

Het verstand is eigenlijk ideaal als het jouw oneindige wil weet te beperken tot een aantal eindige doelen die je jezelf zou kunnen stellen, zodanig dat die wil binnen de door het verstand opgelegde beperkingen vrijelijk kan vloeien. Dus dat je je totaal prettig voelt omdat jouw toevallige huwelijk bevredigend is. Of dat je je prettig voelt omdat dit huis wel oké is. Dus het zou mooi zijn als je gemoedsrust krijgt door die oneindige

‘De wil is oneindig, het verstand is beperkt.’

wil, die eigenlijk geen gemoedsrust in zich heeft, te koppelen aan het verstand dat weet dat oneindigheid niet bestaat. Wanneer je de oneindige wil laat sturen door je verstand, ben je dus bezig met humeurmanagement.

Hoe wij moeten omgaan met veranderingen: is dat een belangrijk item in de filosofie?

Jawel, en niet alleen in de filosofie. Verandering en vernieuwing zijn in de geschiedenis telkens anders gewaardeerd. Er zijn perioden geweest waarin mensen niet aan vernieuwing moesten denken, omdat ze heel blij waren met wat ze hadden en dat voor geen goud wilden opgeven. De oude Grieken bijvoorbeeld gebruikten het woord 'nieuw' nooit, want Athene was perfect, Athene moest helemaal niet veranderen, de status quo was het hoogst haalbare. Die instelling hoort bij zo'n kleine, soevereine, overzichtelijke staat.

Dan krijg je het Romeinse rijk, met weliswaar een sterk expansieve neiging, maar waarbij wel alles in dienst stond van het eeuwige Rome; die Romeinen hadden ook niks met nieuw. Maar het christendom dat daar weer op volgde, was in eerste instantie een verzetsbeweging, ontstaan in het Romeinse rijk, tégen het Romeinse rijk. De eerste christenen hadden het helemaal niet over het oude Rome, die hadden het over het nieuwe Jeruzalem. Over de nieuwe mens, de nieuwe wereld.

Stil maar, wacht maar, alles wordt nieuw.

Ik denk dat religie een goede graadmeter is voor de stemming in een cultuur. Het christendom is begonnen als een heel energieke verzetsbeweging tegen Rome – in het Nieuwe Testament, dat overigens pas geruime tijd na Jezus' dood is geschreven, komt het woord 'nieuw' ongelooflijk veel voor. Op een gegeven moment verhuist het christendom naar Rome. Wat je dan ziet is een soort fusie tussen het Romeins imperialisme en het christendom dat alles nieuw wilde; en langzaam maar zeker nam het christendom de behoudende trekken van Rome over en werd het een levensleer waarin het woord 'nieuw' werd ingeruild voor begrippen als 'berusting' en 'beklijving'. Als wij nu naar de Rooms-Katholieke Kerk kijken, zien we geen bolwerk van vernieuwing meer.

Een ideologie in wording heeft per definitie een sterke drang naar het nieuwe.

Ja, in elk geval ideologieën die in deze wereld veranderingen willen voortbrengen. Wat het christendom op zeker moment heeft gedaan, is die vernieuwingsgedachte loshalen van deze wereld en overbrengen naar de wereld

'Pleiten voor iets nieuws is nooit onschuldig, er gaat altijd iets bestaands tegen de vlakte.'

hierna. Mensen werd geleerd dat ze híér en nu niks moesten willen; de oneindigheid van hun wil zou wel bevredigd worden na de dood. Dankzij de vondst van voortbestaan na de dood konden de twee tegengestelde drijfveren in de mens met elkaar worden verenigd. In het hier en nu kon je streven naar blijvendheid; de verandering en vernieuwing kwamen later. Het woord 'nieuw' was in de middeleeuwen niet aan de orde.

Dat kwam pas weer in de Renaissance.

Ja, alleen betekent Renaissance 'wedergeboorte', en wel van de oude klassieke periode waarin helemaal niet naar vernieuwing werd gestreefd . Toch werd vernieuwing vanaf die periode wel een streven. Dat had twee oorzaken. De eerste is het seculiere besef dat als er geen leven is na de dood, alle vormen van verandering en vernieuwing dus ook niet in het hiernamaals plaatshebben. Dan wil je dat het allemaal hier en nu gebeurt. Het tweede was de letterlijke ontdekking, in die tijd, van nieuwe werelden. Ontdekkingsreizigers als Columbus stuitten eind vijftiende eeuw op tot dan toe onbekende gebieden. Galilei maakte met een telescoop de oneindigheid zichtbaar en Van Leeuwenhoek met zijn microscoop een microkosmos waar mensen tot dan toe geen weet van hadden. Nieuwe werelden, nieuwe wetenschappen: het woord 'nieuw', daar struikelde je gewoon over. Niks 'je kalm houden in het hier en nu': leve de vernieuwing, want vernieuwing is vooruitgang.

En zo denken we er eigenlijk nog steeds over?

Wij zijn ook van de vernieuwing, al zijn er tussen de Renaissance en nu wel pogingen gedaan om het heilige geloof in de vernieuwing te relativeren, door theologen in de zeventiende eeuw en conservatieven in de achttiende eeuw. In de negentiende eeuw benadrukte Schopenhauer in zijn *Welt als Wille und Vorstelling* dat de ongeremde wil om te vernieuwen zonder voorstelling van waar het heen moet, geen kwalitatieve maar hooguit kwantitatieve verandering oplevert: 'Het nieuwe is slechts zelden goed, omdat het goede altijd maar korte tijd nieuw is.'

Van Nietzsche is de uitspraak: *Das neue ist das böse.* Nietzsche heeft heel goed geanalyseerd dat vernieuwing een destructieve component in zich draagt. Dat je wel argeloos kunt zeggen: nieuw is toch mooi, nieuw is toch fijn, maar dat kiezen voor het nieuwe inhoudt dat je afrekent met het oude. Pleiten voor iets nieuws is nooit onschuldig, er gaat altijd iets bestaands tegen de vlakte. In het onderwijs wordt almaar om vernieuwing geroepen; dat impliceert dat de huidige generatie leraren en schoolbestuurders er een zootje van gemaakt hebben. Dat is ronduit beledigend als je kijkt naar het hoge niveau van onderwijs en wetenschap in Nederland.

Maar het lijkt erop dat we inmiddels in een heel interessante overgangsperiode zitten. Nietzsche en Schopenhauer hebben die vernieuwingsdrang dus niet tegengehouden, maar in de twintigste eeuw hebben we vrij goed gezien welke catastrofale gevolgen richtingloze, destructieve vooruitgangsgedachten kunnen hebben. Het fascisme was een verschrikkelijke en radicale vooruitgangsideologie, net als het communisme; beide hadden grote haast om de betere toekomst af te dwingen. Dat heeft ons aan het einde van de twintigste eeuw doen bedenken dat we misschien een beetje voorzichtiger moeten zijn. Vernieuwing werd beperkt tot het terrein van de samenleving waar ze geen kwaad kon, en dat was in het bedrijfsleven. In de economie. Dvd-spelers, iPhones.

Toch heeft nieuw nog steeds een magische glans. In de kunst is vernieuwing een toverwoord. Nieuw heeft nog altijd de bijklank van 'beter'.

Het streven naar een betere wereld, met betere mensen, dat vind ik prima. Maar je moet daarbij niet te véél hooi op je vork nemen door alle bevindingen en ervaringen die je tot dan toe hebt opgedaan, te verwerpen en *from scratch* naar die betere mens te willen gaan. Die neiging zie je inderdaad heel sterk in de kunst; daar werd op zeker moment afgerekend met alle bestaande vormen en moest de nieuwe kunst volkomen uit het niets opgebouwd worden. Misschien was het ook even nodig, maar ik ben toch blij dat je ook weer een herwaardering voor het oude ziet.

Bestaat er zoiets als goede vernieuwing en slechte vernieuwing?

Ja, in zekere zin wel. Te abrupte vernieuwing is slecht. Maar rustige, kalme vernieuwing waarbij je het goede behoudt en vervolgens de dingen die beter kunnen verbetert, daar kan niemand tegen zijn. Nieuw is niet per se beter; béter is beter. En dan kom ik terug op de kwestie hoe verstand de wil in toom kan houden. Die wil wil gewoon iets anders, iets nieuws, die weet niet eens wat beter of slechter is. En hier kan het verstand zeggen: als ik de wil zo kan modelleren dat het niet om iets 'anders' gaat maar om iets 'beters', en daarbij die wil onderwerp aan een zekere zelfbeheersing, dan zijn wil en verstand samen prima bezig.

Jij bent eigenlijk best conservatief.

Ik ben van de hechting. Als onthechting progressief is en hechting conservatief, dan ben ik conservatief. Ik ben nooit zo links geweest; ik heb altijd bezwaar gemaakt tegen progressiviteit zonder richting. Ik was bijvoorbeeld stakingsbreker bij universiteitsbezettingen.

Montaigne heeft eens gezegd: als je in de sores zit, moet je gaan reizen; weliswaar weet je niet of je iets beters aantreft, maar je weet in elk geval dat je je sores achter je laat. Dat is een uitspraak die mij nooit zo is bevallen. Alles achterlaten en helemaal opnieuw beginnen is niet goed. Je moet je sores eerst oplossen. Anders neem je de ellende alleen maar met je mee.

Conservatisme en progressiviteit zijn twee altijd aanwezige stromingen.

Zolang ze in balans zijn, is er weinig aan de hand. Maar wanneer die balans verstoord is, verworden ze tot extremen. Dan slaan mensen door en denken ze dat de drastische oplossing, namelijk kiezen voor één van de stromingen, de beste is. En dan word je een totale conservatief, of een totale progressief. Ik vind dat niks. We zijn dieren die geteisterd worden door interne tegenstellingen en dat is niet op te lossen door die gevoelens te reduceren tot één stroming. Het is een kwestie van balans.

V

OVER DE ANDER

Waarom het niet de ander is die jouw leven verziekt, maar jijzelf.

We maken ons voortdurend druk over wat anderen van ons denken, of ze ons geen sneue loser vinden, of ze ons überhaupt zien staan. Eigenlijk verziekt de ander ons leven behoorlijk. Ik snap zo'n Sartre heel goed, met zijn 'De hel, dat zijn de anderen'.

Jawel, maar het ligt toch net iets anders: wij danken ons leven aan de ander. Letterlijk. Je vitale leven dank je aan je moedertje. Maar het gaat veel verder. Ons hele zelfbewustzijn loopt via contacten met anderen.

Via beelden van anderen over jou.

Je leert jezelf kennen via 'het gelaat van de ander', zou Levinas zeggen. Jouw mening over jezelf begint met de goed- en afkeuring van je ouders. Hoe ze naar je kijken, de frons die ze trekken als je iets doet wat hun niet bevalt. Als ze boos naar je kijken, wil je je voor ze verstoppen; als ze vrolijk naar je lachen ben je blij. Zo kom je überhaupt op het idee dat er een 'mij' is waar je een mening over kunt hebben. En omdat er allerlei verschillende anderen zijn die allemaal iets anders van jou vinden, leer je ook nog eens dat die mening over jou niet vastligt. Dan komt er langzaam ruimte om zelf ook een opvatting over jezelf te vormen.

Eerder spraken we over de âge de raison, de leeftijd – zeven, acht jaar – waarop een kind zichzelf bewust wordt. Is dat ook de leeftijd waarop je je echt van de ander bewust wordt?

Dat lijkt me inderdaad zo'n beetje de leeftijd waarop je, via de blikken van anderen, zelf een visie ontwikkelt. Je wordt iets anders onder jouw gelijken. Gelijken, want we moeten niet vergeten dat andere mensen hetzelfde zijn als wij. Het werkelijk 'andere', dat zijn stoelen en tafels en de hond en de kat. De onbekende buitenwereld: dat is het andere. Mensen, zeker de mensen van wie je afhankelijk bent, zijn juist gedefinieerd door het feit dat ze hetzelfde zijn, het niet-andere. Dat lijkt een triviale opmerking, maar het hele gedonder met vrijheid, gelijkheid en broederschap hangt met deze constatering samen. Alleen tussen gelijken kun je een ander worden.

Vervolgens kun je daarbinnen, in die club van gelijkgestemden die samen tegenover het grote Andere staan, wel een soort zelfbewustzijn ontwikkelen waarin jij iets bent en iemand anders ook iets is, maar dat gaat heel langzaam. En dat gaat eerst via de non-verbale sfeer – dus 'iemand kijkt zo boos naar me, wat doe ik fout?' Maar die ander is dan wel de veilige ander met wie je samen tegenover de échte ander staat. Anderen betekenen iets voor je als je in principe gelijk aan ze bent. De ander, al is hij nog zo boos op je, is de veilige ander met wie je idealiter samen tegenover het écht andere staat. Alleen in een collectief van gelijken kun je zelfbewustzijn ontwikkelen.

Ook als we volwassen zijn, blijven we elkaar voortdurend door de ogen van de ander zien. Ik tenminste wel - maar jij bent een wijze filosoof, bij jou is het misschien anders?

O nee, ik ook. Iedereen doet dat. Daarom kunnen andere mensen je nog steeds zo van slag maken – daar begon je mee, met die vraag. Ons zelfbeeld is van meet af aan volkomen afhankelijk van de blik van de ander, en dat blijft de rest van je leven zo. We maken ons er hooguit gedurende ons leven een héél klein beetje van los. Je probeert langzaam maar zeker een bepaalde gemoedsrust te bereiken: de *eudamonia*. Als dat zo rond je vijfenzeventigste enigszins is gelukt, is dat een prestatie van formaat.

Rousseau onderscheidt de amour-propre en de amour de soi. Amour-propre is de liefde voor jezelf die is gebaseerd op het oordeel van anderen, amour de soi de liefde voor jezelf die losstaat van andermans oordeel. Het probleem met amour-propre is dat de mening van anderen over jou nog wel eens wil variëren, dus kun je beter zorgen dat het met je amour de soi wel goed zit.

Precies, het ontwikkelen van een onafhankelijk zelfbeeld is eigenlijk een noodzaak. Als je je zelfbeeld – en daarmee je humeur – volledig aan de buitenwereld overlaat, dan maak je jezelf wel heel kwetsbaar. Tevredenheid met jezelf is dan alleen mogelijk als je constant bevestiging krijgt van en gerustgesteld wordt door de buitenwereld, dus dan mag je hopen dat je omringd wordt door uitsluitend lieve en gelijkgestemde familieleden en vrienden.

Maar dat is nooit het geval. In het echte leven ben je het lievelingetje van je vader en niet van je moeder, of omgekeerd. De kleuterschool is meteen al een slagveld van kleine kindertjes die al dan niet schattig zijn, vriendjes met je willen worden, juist geen vriendjes met je willen worden, achter je aanlopen als je daar geen zin in hebt of je negeren als je juist contact zoekt. Je perspectief blijft lange tijd: als die of die mij ziet staan, dan ben ik iemand. Je beseft niet dat al die anderen, inclusief je ouders en andere volwassenen, net zo hard van jou afhankelijk zijn voor een gunstig oordeel over henzelf.

Het blijft toch lullig als je op kraambezoek komt en uitgerekend bij jou begint de baby keihard te huilen. Heel moeilijk om het kind niet een speciaal soort mensenkennis toe te schrijven en het je niet aan te trekken. Zo kan ook de kat van vrienden – die nooit bij een vreemde gaat zitten – jou een bijzon-

'Je moet je eigen bewustzijn natuurlijk niet helemaal afhankelijk maken van anderen.'

der deel van het huisgezin maken door zich spinnend op je schoot te nestelen. Allemaal prachtige voorbeelden van *amour-propre* of het uitblijven ervan. Christien Brinkgreve heeft daar in *De ogen van de ander* mooi over geschreven.

Alleen al omdat onze sociale omgeving zo heterogeen is, zijn we min of meer gedwongen om een constant beeld van onszelf te ontwikkelen. Anders worden we voortdurend door anderen in een feeststemming gebracht of juist diep in de put. Een zelfbeeld dat zowel complimentjes als krenkingen een beetje relativeert, is een noodzaak voor gemoedsrust. Alleen een stevig zelfbeeld kan ons redden.

In de opera *Orpheus en Eurydice* wordt over Orpheus gezongen dat hij te heftig genoot van het plezierige, en te veel leed onder narigheid. Dat heb ik ook. En wat helemaal treurig is, is dat ik het plezierige en de narigheid altijd definieer aan de hand van wat ik denk dat mensen van mij vinden. Heel dom, want vaak merk ik dat mensen iets heel anders van mij vinden dan ik denk. En als ik wel gelijk heb, blijk ik vervolgens maar zeer beperkt in staat om ze op andere gedachten te brengen. Dat betekent dat mijn humeur afhankelijk is van mijn eigen vergissingen en mijn eigen onmacht.

Schopenhauer zei al dat andermans hoofd een waardeloze plek is om als zetel te dienen voor waar geluk.

Ik vind dat wel wreed over de menselijke conditie. Je kunt niet tegen iemand zeggen dat hij andermans hoofd maar moet laten voor wat het is. Als je de mening van anderen nooit serieus had genomen, was je niet eens op het idee gekomen een mening over jezelf te hebben. Het kan, als je niet goed oplet, een veel te harde, zware en trouwens ook onaangename opdracht zijn, die niet zelden maar op één manier verwezenlijkt kan worden: namelijk door de eenzaamheid te zoeken. Toevallig was Schopenhauer ook een enorme *Einzelgänger*, die alleen zijn hond vertrouwde. Ik ben heel blij met hem, maar wat hij zegt impliceert dat je maar op één manier je leven kunt leiden en dat is door

'Als jij nu maar zorgt dat je zelf de alleronaardigste beoordelaar van jezelf bent, dan kan niemand je meer raken.'

je terug te trekken uit de club. Als Schopenhauer zegt: het hoofd van een ander is een waardeloze plek om als zetel te dienen voor waar geluk, heeft hij gelijk. Maar je eigen hoofd is geen betere plek, zeker niet als dat betekent dat je in een boomhut in de Karpaten moet gaan wonen. Ik zou daar zeer ongelukkig worden.

Overigens trok zelfs Schopenhauer zich niet volledig terug. Hij bleef midden in Frankfurt wonen, at iedere dag buitenshuis om zich te kunnen ergeren aan anderen en schreef daar mooie boeken over om ons te waarschuwen. Dat is toch eigenlijk erg aardig allemaal. Ook hier geldt dat als je wilt weten hoe mensen ergens werkelijk tegenaan kijken, je moet kijken naar wat mensen doen en niet alleen moet luisteren naar wat ze zeggen.

We gaan dus niet bij Schopenhauer te rade voor dit probleem. Bij wie wel?

Bij de gezelligerds! Als jouw geluk niet in andermans hoofd zit en ook niet zomaar in dat van jezelf, dan moet je te rade gaan bij de figuren die menen dat er voor geluk altijd twee partijen nodig zijn. Bij Chateaubriand bijvoorbeeld, een welgestelde aristocraat die zich gemakkelijk op zijn riante landgoed had kunnen terugtrekken. Maar dat deed hij niet. '*Il n'est de bonheur que dans les voies communes*', zei hij, en hij nodigde vrienden uit voor wie hij biefstukken liet bakken. Voor de meesten van ons is geluk gelegen in onderneminkjes met anderen, vaak heel gewone, kleine dingen.

De meeste filosofen zijn gelukkig niet uit op kalme eenzaamheid. De oude

Grieken waren zich er zeer wel van bewust dat je voor je geluk, zowel voor liefde als voor roem en eer, volkomen schatplichtig bent aan de *polis*, de gemeenschap. De ethiek, als methode om geluk te zoeken, was een afgeleide van de
politiek, de wetenschap van de samenleving. Aristoteles, dat was een leuke
familievader: geen haar op zijn hoofd die eraan dacht zich als kluizenaar van
het leven los te maken. Nee, hoor.

En de stoïcijnen? Die hebben ook weinig op met de mening van anderen.
Die leggen in de balansoefening inderdaad de nadruk op zelfbescherming en
autonomie. Je moet je eigen zelfbewustzijn natuurlijk niet helemaal afhankelijk maken van anderen. Je wilt alleen wat minder gevoelig worden voor de
mening van derden. Dat willen de stoïcijnen, dat wil jij en dat wil ik ook. Het
is goed om jezelf minder afhankelijk te maken van de luimen van de omgeving, want voor je het weet laat je je van de wijs brengen omdat iemand in de
hal van het Centraal Station je boos aankijkt. Daarvan zou Epictetus zeggen:
zo iemand moet je niet de macht over jou geven, zo'n persoon moet jou niet
van slag kunnen brengen. Daar moet je je tegen wapenen.

**Maar hoe? Eén rotopmerking over een stukje van mij en ik loop de hele
dag geknakt rond.**
Nou, dan heb je bij de stoïcijnen dus iets te zoeken. Hun leer kun je zien als
een trainingsprogramma dat je helpt om althans een beetje ongevoelig te worden voor de grillen van de buitenwereld. Je streeft naar *apatheia,* het vermogen om emoties niet door een verkeerde oorzaak te laten oproepen. En wat
anderen zeggen is áltijd een verkeerde oorzaak.

Mijn favoriete stoïcijnen Epictetus en Seneca leefden in een grote, geglobaliseerde wereld met veel te veel mensen. Het Romeinse rijk is heel goed te
vergelijken met onze situatie: zo ongeveer de hele bekende wereld hoorde bij
Rome en dat maakte de samenleving toen, net als die van nu, groot en onoverzichtelijk. Om je daarin te handhaven is het nodig dat je beseft dat je aan de
wereld niet zoveel kunt veranderen. Je hebt domweg niet zoveel in te brengen
bij de vraag 'hoe zullen we de wereld inrichten?'. Die wereld richt zichzelf in
hoge mate in en is nauwelijks rechtstreeks beïnvloedbaar. Het enige wat je kunt
doen is zorgen dat je wat eelt op je ziel kweekt.

In het overzichtelijke Athene konden Plato en Aristoteles de persoonlijke
ethiek ondergeschikt maken aan de politiek. In het Romeinse Keizerrijk kon
je maar beter een echt persoonlijke ethiek ontwikkelen. De stoïcijnse oefe-
ningen hebben dan ook als doel een beetje onafhankelijk te worden van die
wereld. En dat is letterlijk: *autark.* Autarkie betekent dat je zelfvoorzienend

bent, letterlijk maar ook figuurlijk; heer en meester over jezelf, eigenmachtig, onafhankelijk. En die *apatheia* verover je er ook bij: niemand kan je kwetsen. Maak het individu zo hard als maar kan. Als een bolletje waarop alles afketst. Maar puur als noodmaatregel in zware tijden, hè.

En Epicurus?

Epicurus leefde in diezelfde geglobaliseerde wereld, maar hij dacht: ik ga niet in mijn eentje een onkwetsbaar bolletje worden, ik verzamel een groepje leuke mensen om me heen met wie ik een band kan opbouwen. Hij vormde een gemeenschap in een ommuurde tuin, een soort *gated community*, om daar in het klein een samenleving te creëren die bood wat de geglobaliseerde wereld niet kon bieden. Het verschil tussen de stoïcijnen en de epicuristen is het verschil tussen een individuele oplossing zoeken voor verwarrende sociale toestanden, of een gemeenschappelijke, een communitaristische.

Seneca is van ik, Epicurus van wij.

Zo is het. *Ataraxia*, het ideaal van 'onverstoorbare gemoedsrust' van Epicurus, is de socialere versie van de stoïcijnse *apatheia*. Te veel stoa draagt het risico in zich dat je een asociaal individu wordt. Ontspoord epicurisme houdt in dat een asociaal clubje een *gated community* wordt.

Ik vroeg een keer aan een psychologe wat de kern was van de meeste problemen waar haar patiënten mee kampen. Ze zei: 'De essentie, het hoofdprobleem van de mens is altijd dit gevoel: ik hoor er niet bij.'

Ja, dat is heel basaal, het is het fundament onder alle dingen. Ik denk ook dat Chateaubriand dat bedoelde toen hij zei dat geluk in gezamenlijke, gewone dingen ligt. We willen er eerst bij horen en vervolgens willen we in dat geheel een eigen plek innemen. De mens is nu eenmaal een groepsdier, zei psychiater Andries van Dantzig kort voor zijn dood: 'We hebben er alles voor over om erbij te horen, zo veilig mogelijk en als het kan met enig aanzien.'

Maar ook een eventuele eigen positie met enig aanzien is altijd een positie *ten opzichte van de ander*. Als er niemand is om jou toe te juichen als je iets bijzonders hebt gedaan, dan bén je ook niets bijzonders. Het is wel grappig dat jij hier een psychologe citeert en ik een psychiater: je kunt inderdaad stapelgek worden van de paradox dat je erbij wilt horen en toch bijzonder wilt zijn. Vooral als je geen rekening houdt met hoe je zelfbeeld zich ontwikkelt. Ik zeg het nog maar een keer: je merkt pas dat je bestaat als anderen iets van jou vinden. Zelf kom je niet op het idee. En die ontdekking verloopt al meteen tamelijk neurotiserend, want de anderen spreken elkaar voortdurend tegen.

Je opa vindt jou de liefste, je oma geeft de voorkeur aan je broertje en jij raakt in verwarring over die oordelen, die blijkbaar niet absoluut zijn. Iedereen vindt maar iets van jou; welk van die oordelen klopt nu? Uiteindelijk zul je tot een min of meer eigenstandige mening over jezelf moeten komen.

En dat doe je ook. Je gaat over tot 'het generaliseren van de ander', zoals ze dat in de sociologie noemen. In de plaats van al die uiteenlopende meningen naast elkaar, van concrete anderen zoals je opa en je beste vriend, formuleer je een soort algemene mening over jezelf. 'Ik ben een sympathieke jongen,' of: 'Ik ben een sukkel.' Dat is nuttig, maar ook gevaarlijk. Je zult maar denken dat

'Realiseer je dat je altijd met jezelf bezig bent en nauwelijks met anderen, en concludeer daaruit dat anderen óók de hele tijd met zichzelf bezig zijn en nauwelijks met jou.'

je een sukkel bent terwijl dat niet zo is. Je hebt nu wel een zelfbeeld, het is ook min of meer constant, maar het is volkomen onjuist. En het is ook niet meer om te buigen, ook niet door de mensen die jou werkelijk een enorm toffe jongen vinden. Hetzelfde geldt als je jezelf hebt aangepraat dat iedereen jou heel erg ziet zitten. Dan word je gruwelijk arrogant.

Daar word je niet vrolijk van.

Nee, dat kun je wel zeggen. Je kunt jezelf totaal de put in praten. En het mechanisme dat erachter zit, heeft gek genoeg met zelfbescherming te maken. Als jij jezelf maar laag genoeg inschat, kan niemand anders jou verrassen met een lage inschatting. Alle kritiek die anderen mogelijk op jou zouden kunnen hebben, heb je zelf al in extreme mate geformuleerd. Mensen willen zo graag onkwetsbaar worden voor negatieve oordelen van anderen, dat ze doorslaan in hun negatieve zelfbeeld. Als jij nu maar zorgt dat je zelf de alleronaardigste beoordelaar van jezelf bent, dan kan niemand je meer raken. Dan brengt geen enkel oordeel je meer van je stuk – negatiever dan jouw eigen oordeel kan het immers niet zijn. Je vindt jezelf de grootste klootzak die er is.

En zo zijn het niet de anderen die ons leven verzieken, dat doen we zelf, door op de stoel van een nare denkbeeldige ander te gaan zitten. Omdat we zo bang zijn dat de ander kritischer over onszelf is dan we aankunnen, doen we het zelf maar vast. De mens lijdt het meest door het lijden dat hij vreest, om er maar eens een tegeltjeswijsheid tegenaan te gooien. Wij zijn proactief kritisch en tobben daardoor veel meer dan nodig is. De haatzaaier in jezelf kan je stapelgek maken. Gelovigen hebben daar iets briljants op gevonden: die maken van hun strenge zelfbeeld een ander, maar dan een bovenmenselijke Ander, namelijk een god. Als je een god hebt, een kritische, wrekende, bestraffende of juist een liefdevolle vergevende god, dan ben je veilig voor de meningen van de grillige medemens. De mening van de allerhoogste overstemt alle andere meningen, ook die van jezelf.

Een andere manier om de haatzaaier in jezelf het zwijgen op te leggen is chemisch: zorg voor voldoende bier in je ijskast. Dat helpt fantastisch.

Wat me intrigeert: we zijn heel erg bezig met hoe de ander over ons denkt. Daar hebben we het nu ook al die tijd over. Maar omgekeerd zijn we zelf eigenlijk veel minder met die ander bezig, met ons oordeel over die ander.

Daar ligt het begin van een echte oplossing. Realiseer je dat je altijd met jezelf bezig bent en nauwelijks met anderen, en concludeer daaruit dat anderen óók de hele tijd met zichzelf bezig zijn en nauwelijks met jou. Zodra je doorkrijgt dat jouw zelfbeeld grotendeels bepaald wordt door wat jij dénkt dat anderen over jou denken, ben je al een heel eind.

Mooi. Kun je deze levenslessen nog even handig samenvatten?
Ja hoor.
Stap 1: Zoek naar mensen die jij prettig of intrigerend vindt – dat is het advies van Epicurus.
Stap 2: Trek je de meningen van anderen over jou niet te veel aan; ze zijn van geen enkel belang – dat is de les van de Stoïcijnen.
Stap 3: Verplaats je in anderen en kijk of ze navolgenswaardig zijn. Als ze dat zijn, neem ze dan tot voorbeeld.
Stap 4: Doe de voorbeeldige ander na en ontdek dat je lekker bezig bent, zonder ooit helemaal te worden zoals je voorbeeld. En voilà:
Stap 5: Daar heb je je zelfbeeld.

VI

OVER DE LIEFDE

Waarom Romeo & Julia geen geschikt rolmodel zijn.

Wanneer was je voor het eerst in je leven hevig verliefd?

Op de dochter van de eigenaar van een Fleurop-winkel in Groningen – ik woonde in Haren. Ik zat nog op de lagere school en was net twaalf, denk ik. Ik wist helemaal niets van de liefde. Ik leefde in een gezin met drie jongens, voor mij waren vrouwen heel abstract.

Wat trekt iemand in eerste instantie aan in de ander? Voor zover je daar iets algemeens over kunt zeggen, natuurlijk.

Juist het volkomen andere, denk ik. Het mysterie van de ander. Je krijgt weet van iets wat jij totaal niet bent en waarmee je je op de een of andere manier wilt verenigen. Er moet een tekort zijn, niet zozeer jóuw specifieke tekort maar een algemeen gevoeld tekort; je krijgt zicht op iets wat er tot dan toe niet was, maar waarvan je op dat ogenblik opeens vindt dat het er wel hoort te zijn.

Dus Plato heeft gelijk: we zoeken onze wederhelft? In Symposium laat hij de komedieschrijver Aristofanes tijdens een diner uitleggen waarom de macht van de liefde zo groot is. Aristofanes vertelt zijn gehoor dat er vroeger bij de mensen drie seksen bestonden: de mannelijke, de vrouwelijke en een combinatie van die twee. Van ieder mens was de vorm helemaal rond. Maar Zeus heeft ze doormidden gesneden en sindsdien zoekt de ene helft wanhopig naar de andere. Mooi, hoor.

Die liefde brengt hen in hun oorspronkelijke gedaante bijeen, zegt Aristofanes. Het is een geniale en heel grappige beschrijving. Dat de mens ooit een bolletje is geweest en dat de boel sindsdien naar elkaar terugstreeft: het zou een hoop verklaren, onder meer dat besef van een gemis. Want dat gebeurt er als je verliefd wordt: je wordt je bewust van een gemis dat je daarvoor nog niet kende, maar dat er nu is en dat je meteen ook kunt oplossen, goedmaken. Je krijgt, zoals dat met een mooi woord heet, weet van 'privatie'. De privatiegedachte is het besef dat er iets ontbreekt wat er eigenlijk wel zou moeten zijn. Dat is een heel maf mechanisme, want hoe kun je nou weet hebben van wat er eigenlijk zou moeten zijn? Het is een term die centraal staat in de beschrijving van het menselijk tekort, omdat je met dat begrip ook het verlangen naar een hógere liefde, religie, kunt duiden. En dan is het helemaal onhelder, want de vereniging met God wordt zelf nooit begrijpelijk.

Als een ander mens degene is van wie je ineens weet: 'Ha, die miste ik!' is het tamelijk empirisch: je gaat een relatie aan en na een tijdje kom je erachter of je gevoel klopt. Met God ligt het anders. Het geloof kan mensen wel het gevoel geven: er is een hogere liefde mogelijk die iets invult, die mij compleet maakt, die mij maakt tot wat ik ben, die mij rustig maakt omdat de strevingen en begeertes afnemen – streven en begeren zijn altijd onrustig, maar wonderbaarlijk genoeg gebeurt dat met iemand die je nooit ziet.

Als je honger hebt of je hebt het koud, weet je wat je mist. In de liefde niet; je zoekt iets zonder te weten wat. Dat is toch wonderlijk?

De bioloog zal zeggen dat hij je precies kan uitleggen wat je mist en waarom. Je kunt het verlangen naar liefde behoorlijk plat maken, met seks en zo. Maar je kunt liefde inderdaad niet reduceren tot een puur fysieke behoefte. Het gaat verder. Seks hoeft in het begin niet eens een rol te spelen. Het komt voor dat je verliefd bent op iemand en dat het gelijk fysiek ook helemaal goed gaat, maar dat hoeft absoluut niet zo te zijn. Het kan zelfs heel goed dat je daar de eerste tijd aarzelend over bent. Terughoudend, beschroomd.

Omdat het even duurt voor je jezelf bent bij de ander? Je houdt een tijdje je masker op.

Ja, je wordt verliefd op elkaars masker, je kijkt niet meteen dwars door alles heen. Door de intiemere omgang wordt het moeilijker en moeilijker om dat masker op te houden. Pas als de eerste, op dat masker gebaseerde verliefdheid over is, weet je of er iets stevigs overblijft. Dat heeft met verliefdheid dan niet meer zoveel te maken, hoewel ik het geluk heb dat ik dat nog regelmatig ben; maar de platitude dat er liefde, een 'houden van' voor in de plaats komt, gaat natuurlijk gewoon op.

Jij bent tenminste normaal. Maar een hoop filosofen doen zo raar over de liefde. Het lijkt wel of ze alleen de verliefdheid willen, het gehunker en gedweep en het verlangen, maar wegrennen zodra de relatie normaal dreigt te worden.

Er zijn een hoop filosofen geweest die gelukkig waren in de liefde, hoor:

Aristoteles, Hegel. En Thomas Hobbes niet te vergeten, uitgerekend de man van de uitspraak *homo homini lupus*, de mens is de mens een wolf: hij was een heel lieve huisvader van dertien kinderen.

Montaigne schrijft: 'Als je maîtresse zich niet vermurwen laat is dat vervelend, maar eerlijk gezegd is het nog vervelender als ze te gewillig en meegaand is; want de eerbiedige afstand die we tot het begeerde object moeten bewaren wekt onvrede en boosheid in ons op, en deze wakkeren de liefde aan en zetten ons in vuur en vlam; maar verzadiging wekt afkeer, zodat de hartstocht dooft, afstompt, verslapt en inslaapt.' En hij citeert met instemming uit de Minnezangen van Ovidius: 'Wie lang over haar minnaar heersen wil, moet hem versmaden'.

Ik herken niks in dat soort citaten. Ik vind het niet leuk een vrouw te over-heersen en ik vind het ook helemaal niet leuk door een vrouw overheerst te worden. Dat hedendaagse gedoe over metroseksuelen, daar zit wel iets in. Vroeger had je meer uitgesproken mannenmannen en uitgesproken vrou-wenvrouwen. Als je die bij elkaar zet, is er per definitie een afhankelijkheids-relatie. Hij neemt de beslissingen en zij niet, hij verdient het geld en zij niet.

'Als je verliefd wordt, word je je bewust van een gemis dat je daarvoor nog niet kende.'

Gelukkig is dat veranderd en leven we nu in een tijd waarin we meer dingen samen doen. Dat leidt tot een permanente overlegsituatie, waarin je het eens moet worden. Dat vereist meer werk, maar ik vind het resultaat veel groter. En filosofischer.

Hoezo?

Omdat filosofie je oproept om niet zomaar iemand te overheersen. Het Griek-se woord filosofie is een liefdesterm, en het staat voor een specifieke vorm van liefde. Filo is de ik-vorm van *philein*, houden van, en Sofia is de godin van de wijsheid; het christendom bracht haar later met Maria in verband. Filosofie is houden van wijsheid. In het woord zit een streven besloten. Zolang je aan filo-sofie doet, streef je naar wijsheid. Daarin zit een intrinsieke bescheidenheid:

ik ben niet al wijs, ik streef nog. En dat betekent dat je niet te dogmatisch bent, niet te autoritair, niet te absolutistisch. Onderdrukking van een partner past daar niet bij.

Heb je je vaak vergist in de liefde?

Zeker. Ik ben gescheiden van de moeder van mijn zoons. Vreselijke toestand. Ik heb een paar keer dezelfde fout gemaakt. In mijn schooltijd had ik een rela-

'De ene vergissing met de andere goedmaken.'

tie waarin ik volkomen *the man* was en zij volkomen de vrouw, maar toen we gingen studeren liep het totaal uit de hand: ik zat in Amsterdam, zij in Utrecht, ik was te ver weg om *the man* te blijven. Vlak voor we gingen studeren, moest ik een keer heel hard huilen om iets. Dat sloeg een deuk in het mannenman zijn. Het masker barstte.

Met mijn eerste vrouw heb ik dat patroon herhaald. Ook daar was ik heel erg de man en zij heel erg de vrouw. Zij was 20, ik 23. Ik zou haar gaan redden. Het was een huwelijk waarin de ene vergissing met de andere werd goedgemaakt.

Hadden je ouders een goed huwelijk?

Ja, op zich wel. Maar volledig man-vrouw. Mijn vader was een echte man en mijn moeder een echte vrouw, zozeer dat je er wel eens moe van werd.

Heb je iets aan je vergissingen gehad?

Denk het niet. Maar ik troost me met de woorden van Goethe: *'Es irrt der mensch, solang er strebt'. Irren* is dan iets positiefs, omdat je in beweging blijft, een beetje rondwandelt, loopt. Zolang je streeft, ben je op weg. Onbeweeglijk gedoe is nooit goed, ook niet in de liefde. Als er niets beweegt, is er *stasis*; en *stasis*, dat is eigenlijk de dood. Leven en beweging horen heel erg bij elkaar. Die lieve Goethe heeft ook de uitspraak gedaan: *'Die irrtümer des Menschen machen ihn eigentlich liebenswürdig.'* Het is het gedwaal van onze vrienden dat ze *liebenswürdig* maakt, een prachtig woord is dat, *liebenswürdig*.

Dus dat dwalen heeft iets moois.

Ja, en misschien is dat ook de reden dat ik de hoofse liefde leuk vind. Het is namelijk de ultieme cultus van dit gedwaal. Hoofse types vinden het verrukkelijk om een beetje om hun liefde heen te dwalen. Zo koesteren ze de liefde zonder hem te willen bevredigen. Die hoofse liefde is in zeker opzicht fantastisch: je pakt een van de diepste menselijke aandriften en die ga je tot in het oneindige cultiveren en esthetiseren. Je wilt niet dat het tot een lichamelijk treffen komt, want zodra je dat toestaat rekent de biologische werkelijkheid als het ware af met de culturele, en dat is natuurlijk zonde van alle energie die je erin gestoken hebt. Daarom duwen mensen als Petrarca die van zich af.

Toch bedrijf jij niet de hoofse liefde.

Nee, de hoofse liefde cultiveert de afstand tot in het extreme. Ik cultiveer liever het samenzijn. Waarbij ik er niet op uit ben één te worden. De ander blijft een enigma, iemand die je zelf niet bent. Ik weet elke dag wel ongeveer wat Babs gaat doen, maar zij leidt háár leven. Ik maak me daar een voorstelling van en elke avond krijg ik een nieuw verhaal. Dat is heel leuk. Het is erg prettig om niet hetzelfde te zijn, geen twee-eenheid te vormen. Maar wel een 'wij' te zijn.

Dus niks wederhelft. Niks symbiose. Weg met het model van Romeo & Julia, Hella en Freek, Connie en Ischa, Connie en Hans…

Ik hou juist van de nabijheid van ongelijke dingen, want zo cultiveer ik mezelf, er is een permanente drang me te verbeteren. Door de ander de ander te laten zijn, krijg ik altijd een perspectief dat ik zelf niet bedacht zou hebben. En verder geloof ik heel erg in trouw. De winst van trouw is dat je binnen een veilige omgeving een dynamische band opbouwt die het je mogelijk maakt om iets wat bijna onveranderlijk is, namelijk je eigen biologische implicaties, toch vorm te geven. Het niet één worden, dat is het streven. Ik wil helemaal niet dat Babs precies wordt zoals ik. Ik moet er niet aan denken.

En die heerlijke versmelting dan? Of bestaat die juist bij de gratie van het verschil?

Ja, voor eenwording moeten het er eerst twee geweest zijn, anders kan het niet. En het moeten er daarna ook weer twee worden. Het is steeds een moment.

Meister Eckhart heeft er een mooi simpel sommetje voor: Eén als één: geen liefde. Twee als twee: geen liefde. Maar twee als één: wauw! Volledige *heissen brennende feuerliche* wauw! Dan gaat-ie helemaal los.

Meister Eckhart geeft op een heel grappige manier antwoord op de vraag waarom God in hemelsnaam ooit de schepping gemaakt heeft. En dat is vanwege het onderwerp waarover wij het nu hebben. Als sprake is van één persoon is er weinig liefde, want er is geen ander. Met twee personen die niet naar elkaar talen ook niet, maar er is al wel iets mogelijk geworden. Maar als twee personen naar elkaar toe getrokken worden, dan heb je wat. Of dat nou volledige versmelting is of eenheid in verscheidenheid, dat maakt niet uit; je hebt die beweging van iets onvolmaakts, van twee delen die op zichzelf niet genoeg zijn, naar de volmaaktheid die dan tot stand komt.

Dat schema legt Meister Eckhart ook op de vraag waarom God de schepping heeft gemaakt: omdat-ie alleen was! Er was geen liefde mogelijk. Hij was almachtig, hij was overal, hij was het zelf, alles was in hem – of haar. Je zet dus eerst een schepping tegenover je; vervolgens breng je daarin iets aan wat naar je eigen beeld en gelijkenis is geschapen, namelijk een mens. Die kan streven, terug naar jou, als God zijnde. En dan komt die hele beweging op gang.

Wat in die visie erg interessant is, is dat je religie niet alleen als een voorgeprogrammeerde afhankelijkheid van God kunt aanduiden die niet meer te veranderen is. Je hebt hier ook mogelijkheden om de relatieve onafhankelijkheid van God te verklaren, de eigen verantwoordelijkheid van de mens; en vooral de eigenmachtigheid die nodig is om in de liefde voor God die stap te maken. De mens moet wel een eigenmachtig, zelfstrevend creatuur zijn, want als hij alleen zou doen wat zijn schepper wil, gaat het hele idee van streven en bewegen niet meer op. Als hij van de mens een slaafs, door hem gestuurd wezen had gemaakt, zou hij net zo alleen zijn geweest als hij daarvoor al was. Dan was hij terug bij af. Maar nu hebben we het over religie, en dat is het volgende hoofdstuk.

VII

OVER RELIGIE

Waarom God net zo'n nuttige uitvinding is als de Olympische Spelen.

Heb jij ooit in God geloofd?

Nee. Ik kan het me niet herinneren. Mijn vroegste religieuze herinnering is dat ik in tweede klas van de lagere school zat en liedjes moest zingen waarvan ik de rillingen kreeg. Met *Kyrie Eleison* erin: dat vind ik zo'n akelige uitdrukking! *Ontferm u heer* gaat nog, maar *Kyrie Eleison* vond ik echt bijzonder onplezierig klinken. En dat gedoe met woestijnzand en kameelharen mantels en sandalen en ezeltjes vond ik ook maar vreemd. Ik kon me er niet in inleven.

Speelde religie in je opvoeding helemaal geen rol?

Nauwelijks. Ik ben wel naar de zondagsschool geweest, en ik ging ook regelmatig naar de kerk. En mijn ouders hebben me in Haren naar een hervormde basisschool gestuurd. Mijn vader was doopsgezind, dat is een milde vorm van protestantisme, en mijn moeder kwam uit een Zeeuwse familie waar ze Nederlands Hervormd waren; in Zeeland betekent dat zoiets als gereformeerde bond, heel streng. Maar mijn moeder deed er niet zoveel aan. Ze was niet van haar geloof gevallen; ze deed er gewoon niet aan. Een zekere, licht protestantse vorm van religie was dus wel in huis aanwezig, maar niet genoeg om op te schelden.

Je hebt je nergens van hoeven bevrijden.

Nee, omdat het zo vrijblijvend was heb ik er nooit een hekel aan gekregen. Ik heb ook geen heftige bezwaren tegen het geloof. Religie is voor mij wel altijd vreemd gebleven. Religie was iets op afstand, iets van anderen: dat hoorde bij de overburen die gereformeerd waren en waar de kinderen niet op voetbal mochten, en op snikhete zondagen niet mochten zwemmen.

Het voordeel van die vrijblijvende kennismaking met religie was dat ik op de lagere school wél de hele Bijbel zes keer langs heb horen komen. Namen als Esther en Mordechai ken je. Maar het bleven altijd verhalen, het vermengde zich bijna met literatuur. Ik kan me niet herinneren dat ik ooit getroost ben met mededelingen over de hemel.

Ben je daar later zelf ook nooit op zoek gegaan naar iets van een geloof?

Nee, ik heb me er nooit erg voor geïnteresseerd. Mijn vrouw Babs is ook opgegroeid in een mild hervormd milieu, zij wilde als kind enige tijd non of zendeling worden. Dat vond ze een romantisch idee; ze associeerde het met zelfbeheersing, met zingeving, met iets hogers. Maar ze heeft zich al op de middelbare school geheel verloren in de filosofie.

Het hoeft geen tegenstelling te zijn, religie en filosofie, maar bij ons heeft het wel zo uitgepakt. Religie komt van het Latijnse *religare*, dat is verbinden; maar je kunt het ook lezen als *re-legere:* herlezen, hernemen, herhalen, bijeensprokkelen van wat je voelt en weet. Je ziet in religie die twee lijnen terug. De zingevingslijn is naar de wereld gericht, met eredienst, missie, zending. De andere is de bezinningslijn, waarin mensen zich meer afzonderen van de wereld, zich terugtrekken of in zichzelf keren om de eigen positie en opgave te onderzoeken.

In je *Kleine geschiedenis van de filosofie* noem je vier trainingsprogramma's met behulp waarvan mensen zichzelf en elkaar al eeuwen in vorm houden en kneden: sport, religie, kunst en filosofie. Maar doe je religie daarmee niet tekort? Als je geloof alleen maar ziet als een trainingsprogrammaatje, ga je dan niet voorbij aan een diep gevoelde menselijke behoefte aan iets hogers, aan een zingevende instantie?

Ik denk het niet. Het is zeker niet denigrerend bedoeld. Het lijkt mij gewoon niet terecht om godsdienstoefeningen een uitzonderingspositie toe te schrijven ten opzichte van seculiere trainingsprogramma's. Daar komt alleen maar oorlog van.'

Onderscheidt religie zich dan in niets van die andere programma's?

We hebben globaal drie manieren om ons op de buitenwereld te oriënteren: de eerste is dat je door bepaalde dingen wordt aangetrokken terwijl andere dingen je afstoten; het tweede is de ervaring die je gedurende je leven opdoet; en de derde is dat je je van bepaalde zaken een idee kunt vormen, ook als je ze niet kent.

De grote vraag bij het ontstaan van religie is: waar komt de input vandaan? Hoe komen we aan onze ideeën over het goddelijke? Is het goddelijke iets dat mensen aantrekt; heeft het te maken met ervaringen die ze opdoen, komt het voort uit een idee?

Jezus is een interessante figuur omdat hij een tussenpositie inneemt tussen ons en God. Tegenover het abstracte ideaal waarvan we ons maar moeilijk een beeld kunnen vormen, is hij het vleesgeworden ideaal waarmee God zichzelf tastbaar heeft gemaakt. Een navolgbaar voorbeeld dat we enige tijd met onze zintuigen hebben kunnen waarnemen. Even goed is de wereld die de Bijbel je voorspiegelt, tamelijk abstract. God is, anders dan Jezus, onnavolgbaar en natuurlijk ook niet bewijsbaar.

Mensen die bewijzen zoeken voor het bestaan van God, voeren vaak ons dagelijkse streven naar perfectie aan. Dat we de wereld níet precies accepteren zoals we hem aantreffen, maar streven naar iets anders, iets beters, is namelijk een heel gek ding. Het betekent dat je meent dat datgene wat je nu doet, beter zou kunnen. Maar hóe precies, dat weet je niet. Er is dus sprake van een zekere doelgerichtheid terwijl je het doel niet kent. Je bent naar iets goeds aan het bewegen, dat je zintuiglijk nog niet kunt waarnemen maar waardoor je kennelijk wel door wordt aangetrokken, waar je wel naartoe wilt. Betekent dat niet dat het goede ergens echt substantieel moet zijn – want hoe konden we het anders willen?

> 'Met filosofie alleen red je het niet. En wellicht moet je dat ook niet willen.'

Blaise Pascal kwam in de 17e eeuw zo tot zijn bewijs voor het bestaan van God, in zijn verhandeling over de vergeefse middelen die we gebruiken om het opperste geluk te bereiken: 'Wat anders roepen deze hunkering en onmacht ons toe dan dat de mens ooit waarachtig geluk heeft gekend, waarvan hem nu niets anders is overgebleven dan de indruk, het volkomen lege spoor?'

De hunkering naar iets, in dit geval het paradijs, bewijst dat het er geweest moet zijn. Hoe kunnen we er anders naar verlangen? Als we nu een vaag beeld hebben van het goede, dan moet dat wel zijn omdat we lang geleden perfect wisten wat goed was. Die benadering had Plato voor de waarheid. Ooit hebben we de echte ervaring van het ware gehad.

Ik voel meer voor een andere benadering, namelijk dat God een symbool is voor ons onvermoeibare streven naar perfectie. Dat we de wereld níet precies accepteren zoals we hem aantreffen, maar streven naar iets anders, iets beters. Het feit dat wij denken dat het allemaal anders kan, is inderdaad heel opmerkelijk. Hoe komen wij op het idee dat alles wat we doen zelfs béter zou kunnen? Er is dus sprake van een zekere doelgerichtheid terwijl je het doel niet kent. Je bent naar iets goeds aan het bewegen; iets wat je zintuiglijk nog niet kunt waarnemen maar waardoor je kennelijk wel wordt aangetrokken.

Plato zou zeggen dat dit doel dan toch echt ergens in de hogere sferen moet bestaan – juist omdat het hier niet is – want hoe konden we het anders willen?'

Plato wil dat doel ergens verankeren. Daarom komt hij met zijn stelling dat we onze doelen ooit gezien hebben en dat ze ons weer te binnen kunnen schieten. Op zich een interessante gedachte, en ook wel herkenbaar. Maar helemaal serieus kun je het toch niet nemen. Misschien doet Plato dat trouwens zelf ook niet. Hij presenteert zijn verhaal over de Ideeënwereld als een mythe, wat letterlijk 'verhaal' betekent. Dat moet je natuurlijk niet als een wetenschappelijke verhandeling of een dogmatische heilige tekst opvatten.

Dus een hard godsbewijs zit er niet in?

Volgens Plato en Aristoteles niet. Volgens de middeleeuwse christelijke denkers Anselmus en Thomas van Aquino wel. Anselmus heeft een prachtig 'bewijs'. Wij zijn niet perfect, zegt hij, maar toch kunnen wij ons een perfecte God voorstellen. Hoe zouden wij, gebrekkige wezens, ons die God kunnen voorstellen als hij niet ook daadwerkelijk zou bestaan? Wat je er verder ook van vindt, het is een heerlijke redenering. De Amerikaanse filosoof Alvin Plantinga heeft het zogenaamde 'ontologisch' godsbewijs van Anselmus in de jaren zeventig van de vorige eeuw opnieuw leven in geblazen.

Bij Anselmus en Plantinga scheiden de wegen van filosofie en religie. Ze hebben natuurlijk een punt dat wij allemaal streven naar perfectie - in de keuken, de sporthal en het magazijn van de fabriek. En ze hebben gelijk dat dit impliceert dat we niet perfect zijn. Er kookt altijd wel iets over. Dan rijst de vraag: hoe komen wij imperfecte kneuzen op het idee dat het beter kan? Als je religieus bent, dan zeg je: door God. Als je niet religieus bent, dan zeg je: het idee van een God, is dat nou niet per definitie een kneuzig idee, gedoemd om te mislukken? Het zijn heerlijke onderwerpen om diep over na te denken. Ik neem er het liefst een glas wijn bij.'

Maar zie je iets in dat religieuze antwoord?

De gedachte is dan dat hoogste perfectie echt bestaat en dat wij er als creatu-

ren deelachtig aan zijn. Er smeulen, dankzij onze goddelijke afkomst, vonk-
jes van perfectie in ons na. Het komt erop aan die weer aan te blazen. Geen
onzinnige voorstelling van zaken. Maar het nadeel van deze visie is natuurlijk
dat je een werkzame kracht introduceert die zich onttrekt aan onze kennis.
Hume en Schopenhauer wijzen het geloof om die reden resoluut af. Misschien
is dat wat lelijk van ze. Anderzijds zit hier natuurlijk wel een probleem.

'Ik kan me niet herinneren dat ik ooit getroost ben met mededelingen over de hemel.'

Ik voel meer voor het standpunt van Descartes, Leibniz en Kant. Zij meenden
dat we het idee van perfectie nodig hebben, maar dat het wel een fictie is. Door
het als een fictie te zien, maak je het mogelijk om het te onderwerpen aan een
test. Je kunt volgens hen kijken wat je idee van perfectie op aarde aanricht.
Kant noemt dat de 'verrukkelijke toetssteen van de ervaring'. Het idee van perfectie werkt, je komt erdoor in beweging, maar je kent het alleen in wat je ver-
werkelijkt en daaraan moet je je gedachte van perfectie dus ook ijken.

En Spinoza?
Spinoza vindt ook dat perfectie onze pet te boven gaat. Maar we kunnen ons
er best door laten inspireren. Ficties kunnen prettig zijn. Je leeft per slot van
rekening ook alsof je onsterfelijk bent, terwijl je weet dat je dood gaat. Spinoza is alleen bang dat we de ficties te serieus nemen. Daarom snijdt hij alle spe-
culaties weg over een bovennatuurlijke perfectie. Hij stelt God en Natuur aan
elkaar gelijk. Er is dan wel een hoogste perfectie, zegt hij, maar die is niet
bovennatuurlijk.

Wil jij ook stiekem af van religie?
Nee, niet echt. We kunnen wat mij betreft de God-kwestie parkeren en
gewoon verder praten over religie. Er zijn tenslotte ook religies zonder god,
zoals het boeddhisme. Het lijkt mij verstandig de religieuze benaderingen en
de filosofische vreedzaam naast elkaar te laten bestaan, in ieder geval tot
natuurkundige Stephen Hawking het wereldraadsel heeft opgelost. Die weet
nu al zeker dat fysica binnenkort de antwoorden op alle vragen heeft. Hij zegt
er nooit bij wanneer dat zal zijn. Dus tot die tijd hebben mensen die op de

terugkeer van de messias wachten het voordeel van de twijfel.

Ik heb hier een stukje uit Trouw waarin staat dat hersenweten-schappers vermoeden dat geloof in God een bijproduct is van de evolutie van onze hersenen. Wanneer mensen bidden of aan God denken, wordt hetzelfde gebied in de hersenen gebruikt als wanneer ze aan anderen denken; er is dus een verband tussen sociale vaardigheden en het geloof in God.

Religie is goed voor het groepsgevoel, het stimuleert de sociale cohesie en dat is evolutionair gunstig. Maar of je daarmee ook het geloof in God verklaart?

Hoe verklaar jij het, als niet-religieuze filosoof?

Ik grijp graag terug op wat archeologen en historici erover vertellen. Het verhaal over God die de wereld schept is pas rond 700 voor Christus opgeschreven, in verschillende versies. De Bijbel in zijn huidige vorm was rond 200 voor Christus af, dus ruim ná Plato en Aristoteles. In de periode waarin het monotheïsme is vastgelegd, heeft zich over de hele breedtegraad, van China en Noord-India naar het Mexico van de Maya's, een belangrijke ontwikkeling voorgedaan. Het was de ijzertijd; die tijd wordt ook de spiltijd genoemd. Eindelijk was de landbouw een feit. Mensen konden in grote groepen bij elkaar komen.

'Hoe komen wij imperfecte kneuzen op het idee dat het beter kan?'

Dat deden ze dan ook: er ontstonden steden. Dat zijn ingewikkelde samenlevingen met veel onmin over en weer, en omdat er dus ijzer was konden mensen in plaats van kleine bronzen dolkjes - die al omklapten als je ernaar keek - grote speren maken, waarmee ze veel gevaarlijker werden voor elkaar. Ze gingen die steden ommuren met waanzinnig dikke bouwwerken; zó dik waren die muren, dat je je kunt afvragen of er niet behalve een praktische ook een symbolische betekenis aan moet worden toegekend.

Die van de nu Palestijnse stad Jericho vielen vrij gemakkelijk om.

Jericho, verdomd. Zelfde periode. Er was dus stedenvorming en daarmee ontstond ook een stedelijke cultuur. Er kwam geld, het alfabet werd ingevoerd, het dagelijks leven werd abstracter en daarmee ingewikkelder. Én er waren culturen die zich daartegen verzetten. Zoals het jodendom, wat een nomadische cultuur was. De joden hadden op zeker moment hun bekomst van de steden en wilden weer terug naar het platteland. Het Oude Testament staat bol van de rurale terminologie, met kamelen en schaapjes hoeden en zo. Dat kun je zien als een reactie op een stedelijke cultuur.

En God ook?

God zelf misschien niet, maar wel de godsdienstige gebruiken, de gewoonten en rituelen. Want als je in steden gaat wonen met een dikke muur eromheen ben je wel veilig voor de buitenwereld, maar meteen daarna rijst een ander probleem. En dat is: hoe houden we het in godsnaam binnen die muren met elkaar uit? Met die grote groep mensen die allemaal een heel gespecialiseerd arbeidsleven hebben – schoenmakers, bestuurders, apothekers, onderwijzers – en allemaal iets anders willen? Daarvoor heb je dus training nodig. Het is niet toevallig dat in die periode over de hele breedtegraad sterke veranderingen zijn opgetreden in de natuurreligies die er tot dan toe waren, en dat ook de filosofieën, sporten en het theater zijn ontstaan. In 773 voor Christus zijn de eerste Olympische Spelen georganiseerd. Het theater – denk aan Sophocles en Euripides – werd ontwikkeld om de toegenomen behoefte aan mensenkennis te bevredigen. Al die dingen hebben te maken met de vorming van polissen, steden met muren eromheen.

Die muren gaven een veiligheid naar buiten toe en een probleem naar binnen. Dat probleem was dat zich binnen die muren een niet natuurlijke manier van leven had ontwikkeld. Als je al jagend en vissend in kleine groepjes van tot 150 personen leeft, dan kun je alles leren van vader op zoon. Dat betekent dat je geen ingewikkelde beschavingstechnieken hoeft te ontwikkelen. Maar in die steden werkte dat niet. Gewoon nadoen wat je ouders deden volstond niet meer, want je vader was leerlooier en jij werd misschien wel advocaat. In die stad kwamen we optimaal ver af te staan van de dingen die je in de natuur kon leren en daarom hebben mensen heel letterlijk 'kunstmatige' dingen ontwikkeld om ze bij dat leren te helpen.

Die grote beschavingsoffensieven hadden allemaal hun taakje. De filosofie moest het begrip van de wereld trainen, de religie moest onze wil op de een of andere manier vormgeven, de kunst moest de zinnen esthetiseren en de sport was gericht op de fysieke gezondheid en op karaktervorming. Van religies die in die tijd op schrift zijn gesteld – boeddhisme, hindoeïsme, taoïsme, monotheïsme – wordt wel gezegd dat het allemaal bevrijdingstheologieën zijn, die ons willen verlossen uit de onnatuurlijke complexiteit van de stadssamenleving. Het zijn geen natuurreligies meer, maar stadsreligies.

Maar je noemt zelf al de natuurreligies die er vóór die tijd ook waren.

Kennelijk hebben mensen vanaf hun prilste bestaan de behoefte gehad iets of iemand te aanbidden. Waar komt die behoefte dan vandaan?

Naar mijn mening komt die behoefte voort uit een gevoel van beperktheid. Het zien van horizonnen en grote vlakten, het besef van je eigen kringetje, dat geeft een sensatie van beperkt zijn. Die ervaring van beperking geeft je een idee van totaliteit. Een koe leeft in het hier en nu, die heeft dat besef niet. Wij wel. En dat wordt versterkt door de merkwaardige gewoonte die wij ons hebben aangeleerd om dingen een naam te geven, waardoor ze er niet alleen zijn op het moment dat we ze zintuigelijk waarnemen, maar ook als ik ze nu ook noem.

Daar begint Genesis ook mee.

Ja, in Genesis schept God op de zesde dag de mens en een van de belangrijkste dingen die die mens mag doen, is dat hij de andere dingen namen mag geven. Het Johannesevangelie begint met 'In den beginne was het woord'. Mensen geven de dingen een naam; de verklaarbare dingen, maar ook de onverklaarbare. 'Hoe kan het nou dat ik me zo klein voel? Dat komt omdat ik in een geheel zit. Maar omdat ik me zo klein voel, kan ik het niet verklaren; weet je wat, ik heb nu alles een naam gegeven, ik geef het onverklaarbare ook een naam.' Zodra mensen konden praten, zijn ze het onbenoembare gaan benoemen.

Vind jij religie iets voor de dommen?

Nee, ik ken heel slimme gelovigen. Wie de Bijbel wil begrijpen moet zijn hoofd er goed bij houden; de tale Kanaäns is mooi, maar moeilijk. Van de eerste calvinisten die op zondag lang in de Bijbel lazen en er daarna uren over discussieerden, kun je niet zeggen dat ze dom waren; je kunt zelfs zeggen dat mensen erdoor geletterd werden.

De katholieken deden en doen het wat anders, die zijn meer op de zintuigen gaan werken; je hoefde niet zozeer een tekst op te pakken, maar kon je gevoel modelleren.Die goudbestikte jurken, enorme mijters, wierook, Gregoriaanse zang en beschilderde plafonds vormen een zintuiglijke totaalervaring. Maar katholieken moet je ook niet allemaal dom noemen, natuurlijk. Het is eerder dom te denken dat je het met de filosofie alléén wel zult redden. Dat je denkt: de overlegcultuur overwint alles. Er zijn historische perioden ingeluid door het ineenstorten van het overlegmodel – zo zijn de middeleeuwen begonnen, om maar wat te noemen.

Je hebt dus altijd die vier beschavingsprogramma's nodig waarin je je

OVER RELIGIE

deelvermogens kunt ontwikkelen om goed aan de samenleving te kunnen deelnemen? Nu ook nog?

Als er met de komst van de eerste steden vier van die programma's moesten komen om de boel beheersbaar te houden, denk ik zeker dat we die vier nu nog steeds hard nodig hebben. *All hands on deck,* zou ik zeggen.

Maar tussen die vier zit spanning. In elk geval tussen religie en filosofie.

Zeker. Zoals ik al eerder zei: het Oude Testament is opgeschreven in een stedelijke periode, door joden die zich door die steden bedreigd voelden, want dat was niet de cultuur van henzelf maar van de overheerser. Het Oude Testament was absoluut een anti-stadsboek. Die Jerichokwestie is een prachtig voorbeeld, met muren die omvallen: weg stad. De filosofie bloeit juist ín de stedelijke cultuur, op die vermaarde *agora* – dat is gewoon het stadsplein, het centrum van de stad - waar iedereen al sprekend aan zaken en rechtspraak deed. Dat geklets in de stad was heel veelvormig en veelzijdig. Filosofie hoort bij ingewikkelde samenlevingen.

De kern van de filosofie is de poging om alle dingen die wij tegenkomen in de wereld te duiden door in gesprek te gaan. Maar dat gesprek kan ook stokken. Dat is iets wat in de oudheid gebeurde, toen het Romeinse rijk ten einde liep, en dat wij nu ook beleven. Er is zoveel meerstemmigheid dat het niet lukt tot één stem te komen, en dan schiet het verhaal tekort.

Mijn stelling is dat de filosofen de hand in eigen boezem moeten steken, ook in dit tijdsgewricht; dat je moet erkennen dat je hebt gefaald, met al je geargumenteer en systeembouwen en pogingen om in het gesprek eenstemmigheid te bereiken. Dat de samenleving dermate volatiel en onrustig is dat het je niet lukt een soort van gezamenlijk beleid uit te stippelen. Met filosofie alleen red je het niet. En wellicht moet je dat ook niet willen. Laat die vier programma's maar lekker naast elkaar hun werk doen. Als de overlegcultuur, die ik maar even met de filosofie vereenzelvig, door bepaalde omstandigheden stokt en je er met het gesprek niet uitkomt, dan is het niet irrationeel om naar een andere vorm van binding tussen mensen over te gaan.

En dan ga je, als een soort Spinoza, slimme listen verzinnen om filosofie en religie te verenigen?

Volgens Spinoza moeten we af van die twee visies op de ene werkelijkheid – de religieuze en de wetenschappelijke. Die religieuze veroorzaakte in zijn tijd, de zeventiende eeuw, voortdurend grote veldslagen. Hij leefde tijdens de tachtigjare oorlog, met al zijn godsdienstige conflicten, en probeerde die twee visies te combineren. Daartoe moest eerst de werkelijke tekst van de Bijbel gedeconstrueerd worden. Als de zon al niet om de aarde draait, zei hij, laten we dan eens onderzoeken of de rest wél klopt; laten we kijken of we die Bijbel niet allegorisch moeten opvatten.

Spinoza was echt een aardige man, hij wilde tolerantie, hij wilde vrede; dus heeft hij geprobeerd de orde die in het mathematische wetenschappelijke model, zat te rijmen met de religieuze blik op de wereld. Eigenlijk had Descartes dat ook al geprobeerd. Als je God nou maar oneindig genoeg noemt,

'Als achteraf blijkt dat de almachtige ons maar gewoon een beetje aan ons lot heeft overgelaten, vergeef ik hem dat nooit.'

waarin alle attributen opgenomen zijn, dan is god eigenlijk de natuur. Dan heb je niet meer die in het monotheïsme werkzame 'tegenoverstelling' tussen de schepper en het schepsel, waarbij het schepsel altijd eerbied aan de schepper moet betrachten. En waarbij het institutioneel verdomde handig is als je er een kerk tussen plaatst die de godsdienst organiseert en een geheime band heeft met de schepper, op de een of andere manier.

Maar in Spinoza's tijd was de Reformatie volop gaande en vielen de religieuzen uit elkaar. Dat was de filosofie rond 500 na Christus ook overkomen. Dezelfde spraakverwarring die aan het einde van de oudheid leidde tot het uit elkaar vallen van de filosofische scholen, speelde in die tijd onder de religieuze stromingen. En dat is nu weer aan de hand, vind ik.

Zitten we weer in zo'n grote overgangsperiode?

We zitten in elk geval in een crisis. Ik beschouw het woord crisis als een medische term. Als de dokter zegt: de crisis is gekomen, is de patiënt er zodanig aan toe dat hij morgen leeft óf morgen dood is. De dokter kan niet voorspellen welke van de twee het wordt, maar vast staat dat het oude er niet meer en het nieuwe er nog niet is.

Die strijd wordt nu ook gevoerd. Laten we er even van uitgaan dat die vier beschavingsoffensieven nog steeds functioneel zijn – zo enorm is de mens nu ook weer niet veranderd. Er is altijd iets nodig om onze esthetische dingen vorm te geven, om kennis op te doen, met zingeving bezig te zijn en om ons fysiek te verhouden. Kunst, wetenschap/filosofie, religie, sport. Dat kwartet werkt nog altijd lekker.

Als jij ooit doodgaat en je komt erachter dat God toch bestaat, voel je je dan enorm genaaid?

Hm. Ik vind het leven met enige regelmaat een beetje een tobberige aangelegenheid. Het is vaak leuk, maar lang niet altijd. Er zijn ook zo van die dingen in het leven, zal ik maar zeggen. Nu kan ik er letterlijk en figuurlijk prima mee leven dat we daar iets mee moeten, met die dingen. En ik geloof ook dat je onderling, dus zonder zeggenschap te geven aan een hogere macht maar door te proberen er met elkaar iets van te bakken, een heel eind komt. Ik ben een groot liefhebber van de overlegcultuur en ik vind dat die met hand en tand verdedigd moet worden; maar andere dingen zijn ook leuk. Ik vind sport leuk, ik vind kunst schitterend, en ik vind het ook leuk dat heel veel mensen blij en gelukkig worden van religie.

Als achteraf blijkt dat er een schepper is die ons gemaakt heeft en ons vervolgens in de waan heeft gelaten dat we het onder elkaar maar moesten uitzoeken, dan zou ik dat een bijzonder flauwe streek vinden. Dan heeft hij mij opgezadeld met een foute aanname. We lopen ons de benen onder het lijf vandaan om het een beetje leuk te houden en intussen blijkt alles al te zijn bedacht en vast te liggen? Dan voel ik me wel genomen, ja. Als achteraf blijkt dat de almachtige ons maar gewoon een beetje aan ons lot heeft overgelaten, vergeef ik hem dat nooit.

VIII

OVER LEIDERSCHAP

Waarom leiders veel van filosofen kunnen leren.

Hebben leiders filosofen nodig?

Ik denk dat de meeste van onze leiders er enorm van zouden opknappen als ze werden bijgestaan door leraren die hun de fijne filosofische kneepjes van het leiderschap zouden bijbrengen. Een filosoof zal de leider adviseren op een min of meer wetenschappelijke manier te werk te gaan; zoveel mogelijk logica aan te brengen in zijn in- en externe communicatie en morele bezinning een rol te laten spelen in zijn strategisch handelen.

In de oudheid werden leiders opgeleid door filosofen. Seneca leidde Nero op, Aristoteles leidde Alexander de Grote op, Plato leidde Alcibiades op – dat is misschien niet zo'n goed voorbeeld, want Alcibiades was een ongelooflijke boerenlul.

Nero was ook niet zo'n lekker jochie.

Nee. Maar de vraag is of Seneca daar veel aan kon doen. Vaststaat dat hij bij zijn leerling niet heeft bereikt wat hij wilde, want Nero liet hem als dank voor al zijn lessen de gifbeker leegdrinken. Uiteindelijk is de leider verantwoordelijk voor zijn eigen beleid. De filosoof is er natuurlijk op uit om die leider bekwaamheden bij te brengen en waar nodig op andere gedachten te brengen, maar je moet wel bedenken dat een filosoof een leraar is van een hele hoop mensen. Hij levert algemene 'halffabrikaten' aan leiders of potentiële leiders in de vorm van onderwijs. Wie er uiteindelijk komt bovendrijven en of iemand een goede leider wordt, hangt ook af van particuliere kwaliteiten en van bijzondere omstandigheden.

En niet elk type leider is gebaat bij een filosoof als gids. Een filosoof kan de leider kennis, logica en ethiek bijbrengen, maar uiteindelijk kan hij alleen diensten bewijzen aan mensen die ontwikkelingen rationeel willen begrijpen; die oorzaken en de gevolgen echt willen snappen; en die vervolgens goed beargumenteerde plannen willen voorleggen aan degenen aan wie ze leidinggeven. In heldere taal, zodat iedereen inziet waar het om gaat en waar het heen moet.

Dat wil toch iedereen?

Helemaal niet. De politiek en het bedrijfsleven kennen genoeg succesvolle leiders die liever een spel van hun werk maken, met eigen regels en een eigen speelveld, waar zwaar wordt ingezet op competitie en de sterkste komt bovendrijven. Zo'n leider heeft geen filosoof nodig, eerder een sportcoach die hem de kneepjes van het vak bijbrengt. De leider die eigenlijk altijd gelijk heeft maar het zelden krijgt, heeft ook geen filosoof nodig. Zo'n leider kan beter een theaterregisseur als adviseur nemen. Die leert hem hoe hij zichzelf moet presenteren en hoe hij de juiste sentimenten in mensen op kan roepen. Een weer totaal andere leiderschapsadviseur is de dominee of bisschop, die leiders kan helpen bij het onderbrengen van hun strategie in een goed verhaal en hun leert hoe ze mensen kunnen motiveren door ze aan te spreken op hun goede wil. Kunst, sport en religie – de drie andere trainingsprogramma's naast filosofie – bieden dus ook uitstekende modellen om leiderschap mee vorm te geven.

Vind jij dan niet dat leiders aan filosofie wel genoeg hebben?

Mijn moeder zei altijd: je moet het ene doen en het andere niet laten. Een leider opereert op verschillende vlakken: hij jut mensen op, motiveert ze voor het hogere doel of licht ze in over ontwikkelingen. Het beste is als de leider zich laat inspireren door sporters, kunstenaars, voorgangers én filosofen. Hoe meer technieken je beheerst, hoe beter je leiding kunt geven.

Wat kan een filosoof een leider leren?

Het mooie is dat je voor een deel gewoon kunt teruggrijpen op wat er in de oudheid op dat gebied werd gedaan. Plato gaf op zijn Academie ook leiderschapstrainingen. Die waren opgebouwd rond vier kardinale deugden: *prudentia* – dus voorzichtigheid, wijsheid; *iustitia* – rechtvaardigheid; *fortitudo* oftewel moed, en *temperantia*, gematigdheid. Het christendom heeft daar later nog drie deugden aan toegevoegd: geloof, hoop en liefde. Maar in de oudheid draaide het om die andere vier, die de kardinale deugden werden genoemd.

Als je vanuit de kardinale deugden naar het leiderschap kijkt, betekent dat dat je als leider om te beginnen moet beschikken over intelligentie, intelligentie in de zin van kennis van zaken en mogelijkheden; je moet goed zijn in ideevorming. De tweede deugd die je nodig hebt is rechtvaardigheid; je kunnen inleven in anderen. De derde is moed. En de vierde is maat houden. Je moet geen proleet worden, geen graaiende ondernemer of frauderende bankier.

Die volgorde is cruciaal, volgens Plato en Aristoteles. Als je niet bij kennis van zaken begint, kun je het allemaal vergeten. Voor wie niet weet waarheen hij vaart, is geen enkele wind gunstig. Als de leider niet weet wat er allemaal in de hoofden en harten van mensen kan omgaan, dus welke mogelijkheden mensen allemaal kunnen bedenken, krijgt hij ze niet mee. En als de leider zijn beperkingen niet kent, gaat hij schade aanrichten. Voor het doel van al deze

'Het beste is als de leider zich laat inspireren door sporters, kunstenaars, voorgangers én filosofen.'

trainingsprogramma's hadden de Grieken een schitterend woord: je moet, als leider, *megalo-psychia* zien te bereiken. Ruimdenkendheid, letterlijk: een 'grote geest' zijn.

Ik mis het woord authenticiteit. We vinden leiders ook aantrekkelijk als ze 'zichzelf' zijn, authentiek zijn.

Die behoefte aan authenticiteit past bij deze tijd. Het hebben van bevlogen ideeën is in de twintigste eeuw behoorlijk uit de klauwen gelopen. Nu zijn we meer van de spontaniteit en het charisma. Maar dat staat haaks op de opleidingsgedachte.

Is er één type leider denkbaar voor alle soorten organisaties?

Nee. Het leiden van een familie, een huishouden, een bedrijf, een *oikos* – daar komt het woord economie vandaan – betekent hoe je het wendt of keert altijd het beschermen van de belangen van dat huishouden, die onderneming. De leider van de *oikos*, de huisheer of *despotès*, mag dus gerust gericht zijn op één belang, namelijk dat van zijn familie of zijn bedrijf. Dat moet zelfs, het wordt van hem verwacht. Hij is als het ware gedoemd het eigenbelang voorop te stellen.

De leider van de *polis* daarentegen wordt het zwaar aangerekend als hij alleen zijn eigenbelang zou dienen. In de polis moet een keur aan tegengestelde belangen worden ondergebracht in een stabiele samenleving. Hier gaat het om zoiets abstracts als het algemeen belang, een soort 'meta-eigenbelang' waar burgers veel minder makkelijk warm voor lopen. Als de leider van de gemeenschap zich opstelt als huisheer en de maatschappij aanstuurt zoals hij zijn eigen bedrijf zou aansturen, dan is er letterlijk sprake van despotie. Grappig genoeg zorgen despoten altijd heel goed voor hun eigen familie.

Omdat de samenleving zo onoverzichtelijk is, is het verleidelijk de problemen van die samenleving uit te leggen aan de hand van het gezinsmodel of bedrijfsmodel. Dat zag je gebeuren in de middeleeuwen. Toen leverde het christendom een trainingsprogramma voor leiders en onderdanen dat gebruikmaakte van twee sterke metaforen voor leiderschap. Het eerste was dat van de alwetende, goedertieren vader en diens gewillige zoon, bereid om de lasten van de wereld op zich te nemen. De leider diende zich rechtstreeks tot de vader te wenden, de onderdanen vonden steun in navolging van de zoon.

> 'Je moet, als leider, megalopsychia zien te bereiken. Ruimdenkendheid, letterlijk: een "grote geest" zijn.'

Het andere model kwam uit de semi-nomadische agrarische sector: een herder en zijn kudde. Ook hier weer: heldere trainingsdoelen voor leiders en volgelingen. Beide modellen zijn ongeschikt om ingewikkelde samenlevingen met miljoenensteden te leiden, om de doodeenvoudige reden dat je gezin en kudde kunt organiseren aan de hand van de private belangen; maar in ingewikkelde samenlevingen heb je ook zoiets als het algemeen belang.

Dus?

Dus moeten we de verleiding weerstaan om een onderdeel van de samenleving, de privésfeer of de private sector, op het grote geheel te plakken. Geen *pars pro toto*. We hebben wél een model nodig, een vereenvoudigde weergave van de samenleving. En daarvoor beveel ik van harte de stad aan.

Elke stad levert elke dag het bewijs dat honderdduizenden of zelfs miljoenen particuliere belangen het min of meer vreedzaam met elkaar uit kunnen houden, zonder dat je het centrale bestuur als 'vaderlijk' of 'herderlijk' zou kunnen omschrijven. En de burgers van een stad hebben ook geen individueel contract met een directie, die het *mission statement* van de stad opstelt en taakomschrijvingen oplegt. Een stad kan alleen bestaan omdat de inwoners ervan een bepaalde mate van autonomie hebben bereikt. Autonomie betekent 'jezelf de wet kunnen stellen', het is eigenlijk letterlijk zelfbeheersing. En dat is niets anders dan je particuliere belang behartigen mét een oog voor het algemene belang. Een zeer geschikt model.

Want onze politieke leiders zijn geen despoten en moeten dat vooral ook niet worden.

Al wordt een enkele politieke beweging wel als een huishouding met autoritaire vader gerund. Yvonne Zonderop heeft er onlangs in haar boek *Polderen 3.0* op gewezen dat het niet eenvoudig is om in deze geëconomiseerde tijden uitvoering te geven aan het algemeen belang. Daar leiding aan geven is sowieso altijd moeilijk. De zwaarste trainingen waren dan ook door de hele geschiedenis heen bestemd voor degenen die het algemeen belang van de polis, de hele gemeenschap, moesten behartigen. Op dat niveau is nu een leemte ontstaan.

Politieke leiders moeten dringend naar de Internationale School voor Wijsbegeerte te Leusden.

Graag! Volgens Plato en Aristoteles had je vijftig jaar nodig om de hele leiderschapsopleiding te doorlopen. Je werd onderworpen aan alle denkbare trainingsprogramma's, een langjarige praktijkgerichte opleiding met uitgebreide stages. Misschien is dat wat extreem, maar het is op het ogenblik wel een stuk gemakkelijker om een prestigieuze masters Business Administration te volgen dan een opleiding tot politiek leider.

Het aanstellen van goede zakenlieden in de politiek is niet genoeg om de economie weer op orde te brengen. We hebben een tijdje geleden leerzame ervaringen opgedaan met een platenbaas op economische zaken. Niet dat iemand niet uit het bedrijfsleven naar de politiek zou kunnen overstappen – daar zijn goede voorbeelden van –, maar een politiek leider is echt iets anders dan een zakelijk leider. Een politiek leider is meer. Het algemeen belang is moeilijker te verdedigen dan het private belang. Ik vind dit wel een opdracht voor de filosofie: maak een opleiding voor politiek leiders. Het is griezelig en moeilijk, maar noodzakelijk.

IX

OVER POLITIEK

Waarom politici zich allemáál zouden moeten overgeven aan stemmingmakerij

Vind je Nederland een leuk land?

Ik vind Nederland een fantastisch land. Nederland is klein en desondanks veelstemmig. Veelstemmig in letterlijke zin, want de een spreekt gezelligheid uit met een zachte g, de ander met een harde en de derde op een nog andere manier, want we hebben in de afgelopen eeuwen gezelschap gekregen van Afrikanen, Aziaten en andere Europeanen. We zijn een land van veel stemmen en ook van veel stemmingen – politiek bedrijven komt uiteindelijk altijd neer op stemming maken. Burgers laten zich ook graag in bepaalde stemmingen brengen. In een hoerastemming of in een crisisstemming. Maar een politicus die te openlijk stemming maakt, vinden we al snel een populist, of een demagoog.

Jij niet?

Nee, ik heb niet zoveel tegen stemmingmakerij. Ik ben er zelfs heel erg voor. We staan hier bekend om ons poldermodel. Nederland is een delta van een paar enorme rivieren, en in plaats van rustig te wachten tot het zand en de rivierklei het land op zeeniveau zouden hebben gebracht, zijn we de waterhuishouding zo gaan inrichten dat je hier zelfs zeven meter onder de zeespiegel je huis kunt bouwen. De waterhuishouding is iets waarover iedereen het eens moet zijn, een puur zakelijke kwestie waarvoor iedereen zijn privé-emoties graag even opschort.

Dat is op zich mooi en vooral ook erg handig, maar het heeft wel geleid tot een politiek klimaat waarin het rationele gesprek met de dijkgraaf het altijd wint van emotionele politieke discussies. De Nederlandse tolerantie is niet zozeer gebaseerd op ruimdenkendheid, maar op puur pragmatisme: vind lekker wat je vindt, zolang je maar wel blijft meehozen. Je mag een hekel hebben

89

aan wie je wilt, zolang je maar netjes aan tafel blijft zitten om de belangrijke zaken te regelen.

En daar wil je wel vanaf.

Laat ik zeggen dat het poldermodel zo zijn beperkingen heeft. Het repertoire van de politicus moet uitgebreider zijn. Dat water hebben we inmiddels wel

'Maak een opleiding voor politiek leiders. Het is griezelig en moeilijk, maar noodzakelijk.'

ongeveer onder controle, dus hoeven we die emoties niet langer buiten de deur te houden. Er zijn ook wel politici die dat zien – de liberalen zijn er heel goed in, en die boeken dan ook de grootste successen. De brave polderpolitici zitten er sprakeloos naar te kijken en durven geen weerwoord te bieden. Die impasse is alleen te doorbreken als ze dat wél gaan doen, als iederéén openlijk stemming gaat maken. De een voor duurzaamheid, de ander voor een nog hogere maximumsnelheid: waar ze maar zin in hebben.

En als het over stemming maken gaat, is het handig meteen maar even onderscheid te maken tussen de drie belangrijke perspectieven van waaruit je dat kunt doen. Namelijk traditioneel, progressief en pragmatisch. In feite kun je de meeste levensbeschouwingen en wereldbeelden onderbrengen in een van deze drie benaderingen. Het hele Nederlandse politieke bestel ook.

De confessionele partijen zijn in eerste instantie traditioneel en hebben de broederschap als belangrijkste principe. Socialistische partijen zijn altijd progressief, want hun leidend beginsel is gelijkheid, en gelijkheid is niet iets wat je in de natuur aantreft, die moet je zelf creëren. Voor de liberalen is vrijheid het belangrijkst; zij kunnen pragmatisch zijn.

Deze drie partijsoorten zullen, wat hun naam ook is en in welke coalitie ze ook opereren, altijd aanhang hebben, omdat het publiek óók uit die drie soorten mensen bestaat. De mensen die voornamelijk naar tradities leven en een hang naar het verleden hebben; de mensen die naar een idee toeleven en dus meer gericht zijn op de toekomst; en de mensen die vanuit een tijdelijk belang leven, net hoe het uitkomt. Die eerste groep zou je de *empiristen* kunnen noemen, omdat ze leven naar de opgedane ervaring. De tweede groep zijn dan de *rationalisten*, de mensen die zich richten op ideeën die gerealiseerd moeten worden, en de derde groep wordt gevormd door de *voluntaristen* omdat de belangen, de wil – voluntas – bij hen doorslaggevend zijn.

Ik heb net *Atlas Shrugged* gelezen, het magnum opus van de Amerikaanse schrijfster en filosofe Ayn Rand. De hogepriesteres van het neoliberalisme, hoewel ze al dertig jaar dood is. Waar hoort zij bij?

Ayn Rand hoort bij de derde categorie, het voluntarisme. Ze keek in de jaren vijftig naar de skyline van New York en wat ze zag was *the will of men made visible*. Plaggenhutjes riepen bij haar geen nostalgische gevoelens op. Ze zag New York als het resultaat van vrije genieën met de power om anderen hun wil op te leggen, niet als het resultaat van de inspanningen van gelijke individuen.

Wordt ze terecht gezien als de grondlegger van het neoliberalisme?

Ze is geen grondlegger, zou ik zeggen. Filosofen zijn nooit grondleggers. Filosofen zijn wel altijd degenen die iets in de zuiverste vorm onder woorden brengen. Dat kunnen ze ook doen omdat het bij hen puur om theorie gaat. Waar de meeste praktisch ingestelde mensen traditie, wil en ideeën dwars door elkaar heen klutsen, kunnen filosofen lekker op één standpunt gaan staan en een heldere theorie formuleren. Zo'n theorie is vervolgens vaak een soort ijkpunt of een toetssteen waaraan je die altijd wat verfrommelde dagelijkse posities kunt verhelderen.

Er wordt met Rand gedweept door de Amerikaanse Tea Party maar ook door pvv'ers; door allerlei types van wie ik me afvraag of zij er blij mee zou zijn geweest.

Ik denk dat mensen als Alan Greenspan, maar ook Ronald Reagan en Margaret Thatcher in de jaren tachtig van de vorige eeuw, behoorlijk zuivere Rand-aanhangers waren. Dat is ook niet zo gek, in die tijd. De Tweede Wereldoorlog had definitief afgerekend met de traditionele wereldorde. Traditionalisme was niet sexy, een nieuwe wereldorde wel, zeker voor Amerikanen. De ervaringen met het communisme stemden evenmin erg hoopvol. Dat heeft na de oorlog tot een individualistische beweging geleid waar iemand als Jean-Paul Sartre ook deel van uitmaakte. Sartre zei: als je niet áltijd je individuele verantwoordelijkheid op je neemt, in welk collectief je je ook bevindt, gaat het fout. Het mag nooit meer zo zijn dat een collectief zegt: '*Wir haben es nicht gewusst.*' Het is je plicht altijd je eigen verantwoordelijkheid te nemen, sterker: je bent gedoemd altijd je eigen verantwoordelijkheid te nemen.

Wat de existentialisten van de jaren vijftig en de protestgeneratie van de jaren zestig met elkaar gemeen hadden, was dat ze in het geweer kwamen tegen oude collectieven. Dat protesteren was in eerste instantie heel hip en Woodstockerig en het ging gepaard met de vorming van toch weer nieuwe collectieven: in de jaren zestig en zeventig kreeg je allerlei socialistische en zelfs heel erg communistische clubs, zoals KEN(ml), de Kommunistiese Eenheidsbeweging Nederland (marxisties-leninisties), dat was een maoïstische splinterpartij. Maar naarmate er meer narigheid over het communisme naar voren

'Filosofen zijn nooit grondleggers. Filosofen zijn wel altijd degenen die iets in de zuiverste vorm onder woorden brengen.'

kwam, legden die nieuwe collectieven het af en zette het liberale individualisme verder door.

Na de val van de muur, eind jaren tachtig, manifesteerde het neoliberalisme zich als nieuwe, dominante stroming. Het bood een soort individualisme dat was ontdaan van iedere ideologie. De taal waarin gesproken werd was die van het geld, en geld is volkomen neutraal, het is geen doel maar een middel en zolang niemand zegt wat hij ermee gaat doen, hoeven er geen ideologische discussies plaats te hebben over een goede samenleving. Neoliberalen zijn altijd geneigd dat soort discussies uit te stellen: eerst de centjes, dan de moraal.

Volgens de Rotterdamse socioloog Willem Schinkel, auteur van De nieuwe democratie, is het neoliberalisme wel degelijk een ideologie. Hij zegt: 'Die ideologie van "er is geen ideologie meer": dat is eigenlijk de laatst overgebleven ideologie. Maar het is dus wél een ideologie.' Schinkel noemt die ideologie het kredietgeloof.

Dat zou ik toch geen ideologie noemen. De neoliberalen formuleren expliciet geen welomschreven, gemeenschappelijk doel. Het resultaat van liberale politiek is bekend als het zich voordoet en niet eerder.

Maar waarom zou een ideologie alleen een ideologie zijn als het op een collectief doel is gebaseerd? Waarom zou dit niet toch ook een ideologie genoemd mogen worden?

Het hangt een beetje af van hoe nauw of diep of smal of breed je een ideologie definieert. Ik beperk de term ideologie tot de poging om de samenleving in te richten naar een helder en vooropgezet idee. Daar zoek je dan de middelen bij. Christelijke politiek zou ik ook geen ideologie noemen; de zingeving van christenen is geen eigen idee, maar komt van hogerhand.

Liberalen hanteren het concept van de onzichtbare hand. Het liberalisme neemt afstand van de gedachte dat goede politici een vooropgezet idee kunnen uitvoeren en dat het dan allemaal goed komt. Zij zeggen: vermijd overheden die menen te weten wat goed is voor het volk. Laat iedereen zijn eigen belang nastreven, dan komen we op een gegeven moment vanzelf op een soort algemeen belang uit; want als jij het te bont maakt, rem ik jou en als ik het te bont maak, rem jij mij. En zo ontstaat de liberale samenleving, waarin niemand de regie heeft, niemand een vooropgezet idee heeft, niemand een beroep op een traditie doet. Het is inderdaad Ayn Rand, vermengd met een scheut sociaal-darwinisme. De sterkste komt vanzelf bovendrijven.

Is het oude liberalisme, zonder neo ervoor, dus ook geen ideologie?

Nee. Even terug naar die driedeling waar we het net over hadden: mensen die vanuit een traditie leven; mensen die naar een idee toeleven; en mensen die vanuit een belang leven. De eerste groep gebruikt de gedeelde ervaring als het vertrekpunt om zich op de wereld te oriënteren – wij filosoofjes hebben het dan over de empiristen. De tweede groep is die van de rationalisten, mensen die ervanuit gaan dat je je vanuit een bepaald idee op de wereld oriënteert, doorgaans een idee dat je nog niet in de empirie aantrof – rechtvaardigheid bijvoorbeeld; en de derde groep is die van de voluntaristen, mensen die in de eerste plaats handelen vanuit de belangen van het moment.

Deze drie staan principieel op gespannen voet met elkaar. De traditionalisten willen geen nieuwe ideeën verwezenlijken en vinden de belangen van de huidige generatie ondergeschikt; de ideeënjongens willen niet in de traditie blijven steken en ze willen het gezamenlijke idee laten heersen over de toevallige belangen van enkelingen; de belangenjongens moeten niets van grote ideeën hebben en houden ook niet van tradities.

Ik zou de term 'ideologie' tot de politieke rationalisten beperken. Een leer die is gebaseerd op een welomschreven idee voor de samenleving is een ideologie. Sociaaldemocraten, socialisten, communisten: dat zijn mensen met een ideologie.

Die driedeling heeft ook wel iets stars. Werkt het echt zo?
Dat mag jij zeggen. Van mij mag het aantal hoofdstromingen in de politiek worden uitgebreid. Dit is een model waarmee je bestaande partijen kunt verklaren. Natuurlijk zijn het mengvormen. Ik denk dat je de VVD, PvdA en het CDA beter begrijpt als je ze niet als zuivere representanten van die hoofdstromingen ziet, maar als veranderlijke cocktails.

De dagelijkse werkelijkheid is een constellatie waarin je altijd die drie bewegingen door elkaar ziet – want iedereen heeft wel degelijk een traditie, iedereen heeft wel degelijk ideeën, en iedereen heeft ook wel degelijk belangen. Iedereen! Ook al ben je nog zo'n enorme traditionalist, je hebt heus ook wel een idee, en heus ook wel een belang. Maar in het openbare gesprek leg je de nadruk op het behoud van tradities.

Dat model is een lineaaltje dat je langs politieke stromingen en levenshoudingen kunt leggen. Je kunt deze tijd langs de meetlat leggen en dan blijkt dat liberalen nog steeds de boventoon voeren, maar dat ze moeten uitkijken voor een onverschillig imago. Je begrijpt ook waarom de PvdA het moeilijk kreeg nadat de partij in de jaren negentig haar ideologische veren afschudde: er bleef niets over. Je kunt ook zien dat de christendemocraten veel moeite hebben om het begrip 'traditie' betekenis te geven in een globaliserende wereld. Het geloof moet zichzelf opnieuw uitvinden, en dat is voor traditionalisten tamelijk paradoxaal. Je kunt het model ook actiever en minder analytisch gebruiken. Maak je eigen ideale verhouding tussen traditie, idee en belang. Waar kom je dan op uit? Het gaat eigenlijk altijd een beetje mis als je één van de drie de dienst laat uitmaken.

Het klinkt alsof mensen heel beredeneerd kiezen voor een bepaald model. Maar je mensbeeld wordt ook en misschien wel vooral gekleurd door het tijdsgewricht en de omgeving waarin je geboren wordt met z'n eigen normen en waarden. Je kiest nooit vrij je standpunt. Als we in de jaren dertig op de wereld waren gekomen in een nationaal-socialistisch milieu, zouden we heel anders naar onze omgeving hebben gekeken dan nu. Hoe vrij ben je dan precies als individu? Waarom kan de een zich verzetten en de ander niet? Kunnen we ons überhaupt distantiëren van de heersende gedachten?
Daar kun je dit model ook voor gebruiken. Je kunt nu meegaan met de 'kritische' tijdgeest en zeggen: 'Het neoliberalisme is ruk', maar het is veel leuker om te zeggen: 'Oké, het neoliberalisme is ruk, dat zal wel; maar het heeft ons ook maar mooi bevrijd van een hoop vastgeroeste traditionele en ideologische narigheid.' Je kunt begrijpen hoe het zo gekomen is, en je kunt constateren dat

we er nog wel bij zijn gevaren ook. Maar als eindpunt van de geschiedenis blijkt het niet bevredigend. Het was ook niet het eindpunt; door het daar te plaatsen, verdween alle evenwicht en kon je voorspellen dat het zou ontsporen. Maar we moeten nu niet opnieuw doorslaan en het neoliberalisme afschaffen. Dat kan niet. Bovendien biedt het neoliberalisme vrijheid. Het lijkt zinniger te onderzoeken hoe je de scherpe kantjes ervan kunt afhalen.

Het model biedt dus een manier om de balans te bevorderen zonder dat je gedachten alle kanten op schieten. We zouden eens kunnen kijken hoe we de traditie kunnen herwaarderen. En ook of we tot een paar ideeën kunnen komen over wat een goede samenleving is. Dan breng je dat ongebreidelde, onmatige pragmatisme dat in de afgelopen decennia alle ruimte heeft gekregen om tradities en ideologieën af te schudden, vermoedelijk een beetje in evenwicht. Niemand wil terug naar de jaren vijftig, maar wellicht is het goed toch te kijken naar wat er toen wél goed was; en niemand wil zich overleveren aan een starre ideologie, maar kunnen we toch niet proberen een idee van een góéde samenleving te formuleren?

Wat is de plek om dit te doen? De politiek?

Ik zou zeggen: de *polis*. De gemeenschap, de politiek natuurlijk, maar we kunnen er de hele publieke ruimte voor gebruiken. Het evenwicht zoek je eigenlijk overal, altijd en met iedereen. Op straat, waar je besluit om je wel of niet aan de verkeersregels te houden. Of thuis, waar je kunt bedenken of je je woonark wel of niet op het riool aansluit, zonnepanelen neemt, biologische spullen koopt, je afval scheidt. Babs en ik kwetteren heel wat af over dat soort dingen. Verder maakt zij iets van haar werk en maak ik iets van mijn werk. Bedrijven kunnen maatschappelijk ondernemen. En in de media en de politiek kun je het gesprek over de ideale samenleving voeren. Nederland is behoorlijk overzichtelijk, de overheid is zeer benaderbaar, je kunt iets voor elkaar krijgen. Als je maar niet richtingloos alle kanten op blijft denken.

Hoe houden we het met onszelf uit?

X

OVER AMBITIE

Waarom wij altijd maar meer willen en hoe je moet voorkomen dat je ontevreden en gedesillusioneerd eindigt.

De eerste keer dat wij elkaar ontmoetten, was dat om over losers te praten. Je zei toen dat alle mensen losers zijn. Daar keek je heel opgewekt bij.

We zijn allemaal de lul, zonder meer. Als wij niet allemaal in zekere zin losers waren, dus een tekort hadden, dan hoefden we dat ook niet aan te vullen. Maar iedereen is nu juist altijd bezig tekorten aan te vullen. Of het nou in ons streven naar kennis of naar vaardigheid is, of in ons verlangen naar meer liefde en saamhorigheid: we zijn voortdurend bezig onszelf aan te vullen, iets bij te spijkeren, onszelf te ontwikkelen. Er zijn altijd clubjes waar je nog niet bij hoort, er zijn altijd dingen die je nog niet kunt.

Dat eeuwige tekort, het menselijk tekort, heeft alles met ambitie maken, maar het is niet het hele verhaal. Het maffe van alle streven is dat je alleen streeft naar wat je nog niet hebt en wat je dus ook niet volledig kent. Je verlangt, maar zonder te weten waarnaar precies.

Bij ambitie is het interessant eerst even te definiëren wat dat woord letterlijk betekent. En dat is: rondlopen, rondgaan, door de omgeving – ambiance – dwalen. Daar zit eigenlijk nog helemaal geen richting in. Je doet maar wat; je beweegt je in kringen, je komt eens iets of iemand tegen en daar reageer je op. Je bent al ambitieus als je ronddwaalt in verschillende milieus.

Bij ambitie denk je aan een doel en aan een rechte lijn daar naartoe.

En dat is dus onzin. Ambitie heeft niet onmiddellijk te maken met iets wat je nog niet bent maar wel wilt worden. Je wéét nou juist niet wie je bent en wat je wilt. Ambitie is de moed om in kringetjes rond te lopen.

Die ambitie, is die er vanaf het eerste begin?

Grappig genoeg niet. Mensen komen in een bijzonder erbarmelijke staat ter wereld. Vergelijk een pasgeboren baby maar eens met Bambi. Bambi staat na zijn geboorte even te trillen op zijn pootjes, maar tien tellen later holt-ie achter zijn moeder aan het bos in. Aapjes kunnen ook al meteen heel veel. Kangoeroes moeten nog een tijdje in de buidel, die hebben nog even een soort van buitenbaarmoeder nodig; maar het is niet te vergelijken met hoe langzaam een mensenkind op gang moet komen. Daar word je helemaal somber van. Kinderen moeten eerst overal heen gesleept worden, na een jaar beginnen ze pas uit zichzelf ergens naartoe te bewegen.

Maar bij een baby is daar nog geen sprake van. Die kan nergens naartoe gaan en heeft dus letterlijk geen ambitie. Wel verlangens, en daar begint onze onmatigheid: alles willen, niets kunnen. Zo'n baby moet alles puur passief ondergaan. Hij kan nergens op af, hij kan nergens naartoe; hij is volkomen afhankelijk van de buitenwereld. Peter Sloterdijk merkt op dat in deze periode de basis wordt gelegd voor ons 'magische denken': het idee dat je dingen voor elkaar kunt krijgen zonder van je plaats te komen. Je hebt honger, dat is onaangenaam; je zet een keel op, en hup: daar is vader of moeder. Het is telekinese! Je kunt er niet heen, maar het komt gewoon naar je toe. Je geeft een krijs: 'Wèèèèèh!' En daar is het hoor. Briljant. En dat gaat allemaal aan onze ambities vooraf.

> 'Ambitie is de moed om in kringetjes rond te lopen.'

Heb je Harry Potter gelezen?

Nee.

Daar zit een toverspreuk in: accio… en wat je ook maar wilt, het komt naar je toe. Als Harry zijn bezem nodig heeft omdat hij weg wil vliegen, hoeft hij alleen maar 'accio bezem' te zeggen en daar is-ie al. Ontzettend handig.

O, wat heerlijk, dat wil ik ook. Ik hou erg van dat soort vondsten, die iets verklaren wat heel magisch en wonderbaarlijk is. Het is slim bedacht van die J.K. Rowling, want zo'n spreuk appelleert aan onze vroegste herinneringen. Ik zou dan 'accio liefde' roepen – ik hoef geen bezem.

En je ziet ook hoe het bij een kind helemaal mis kan gaan – want als er op zijn kreten geen reactie volgt, als zijn verzoeken om hulp niet worden gehono-reerd, dan krijgt het ook dat gevoel van magie niet, en dus ook niet die kleine dosis zelfoverschatting die nodig is om de strijd met het menselijk tekort aan te gaan.

Het gevoel van magie is het eerste overschotsidee. Dat is niet het menselijk tekort, maar het menselijk tevéél. Dat kind, dat niets kan maar wel de dingen naar zich toe kan dwingen, doet hier een ervaring op die de rest van zijn leven belangrijk beïnvloedt. Hij blijft er eeuwig mee rondklooien. Waarmee we meteen de problematische kant van ambitie te pakken hebben. Immers, bij ambitie in de betekenis die we er in het dagelijks spraakgebruik aan toekennen, wil je altijd iets wat je nog niet hébt. Je verlangt iets wat er nog niet ís. En eigenlijk wil je ook dat het na één grote, ontevreden krijs meteen op je afkomt.

Dus daarom spreekt de idee dat je hard moet werken om iets te verkrijgen ons nooit echt aan? Omdat we dat helemaal in het begin van ons leven ook niet hoefden? Diep in ons hart vinden we het normaal om 'succes!' te krijsen, of 'geld', waarna dat succes en dat geld meteen op ons af moeten stormen.

Dat je daar eerst iets voor moet dóen, voor in beweging moet komen, daar springen we het liefst overheen. Terwijl dat 'in beweging komen' nu net letterlijk ambitie is. Het is veel leuker om 'accio roem en eer' te roepen dan om van alles te moeten ondernemen om die roem en eer te verwerven.

Maar je wordt dus pas ambitieus als je je kring verbreedt.

Ja. Tegen de tijd dat een kind leert lopen, wordt het interessant. Eerst zijn er de huiskamer en de keuken en de slaapkamer, met de mensen die zich daarin bevinden. Langzaam maar zeker komen er vriendjes bij, het huis wordt de wijk, buiten de wijk is de voetbalclub en zo gaat het telkens verder. Probeer je eens voor te stellen wat een enorme variëteit aan indrukken er optreedt bij iedere vergroting van je kring. Steeds meer mensen, steeds meer manieren van doen – de cirkel wordt almaar groter. Die kringen zijn letterlijk wat Sloterdijk 'sferen' noemt. Bij hem betekent ambitie dat je je langzaam maar zeker steeds actiever in allerlei bestaande sferen beweegt en er uiteindelijk niet voor terugdeinst zélf sferen te scheppen.

Astronaut André Kuipers is ervan overtuigd dat over vijfentwintig jaar de eerste mensen op Mars zijn. 'Het zit in de mens om grenzen op te rekken,' zegt hij in een interview met de Volkskrant. 'Mensen zijn nieuwsgierig.

De lucht is veroverd, de ruimte is de volgende stap: vanuit evolutionair gezichtspunt is het logisch een kolonie op Mars, de maan en wie weet waar nog meer te beginnen.'

Precies. We willen onze horizon verleggen, onze sferen verbreden. Dat zit in onze aard. We hebben een motoriek en een daarbij behorende wil- en emo-tiehuishouding die maken dat we níet op één plaats blijven zitten, want dan gebeurt er niets met je. Je krijgt geen eten, je brengt niets voort, er zit geen beweging in. Stil blijven zitten is geen optie. Kunnen rondwandelen is een van de meest basale vermogens van de mens. Als we onszelf niet in beweging kon-den zetten, hadden we geen zintuigen gehad. Wat heeft een geranium aan ogen om een andere geranium mee te begeren? Hij kan er toch niet naartoe.

Wij wel, en dankzij de overmoed die ontstaat voor we kunnen lopen, zijn we ook niet te benauwd om sferen in te gaan die we nog niet kennen. In eer-ste instantie laat je die passief over je heen spoelen. Als er al enige richting in je doen en laten zit, komt dat meestal door anderen: je ouders, leraren. Je kijkt gewoontes af van anderen. Rare gewoontes, saaie gewoontes. Langzaam maar zeker krijg je door hoe het werkt, begin je het te begrijpen en krijg je de nei-ging om je je er dan ook maar tegenaan te bemoeien.

En dan wordt ambitie meer ambitie in de betekenis die we er in het algemeen aan toekennen, namelijk de wil om iets te bereiken?

Kunne hebbe

Ja: op den duur gebeurt dat vanzelf.

Nog even over dat menselijk tekort. Je zegt dat we ons hele leven bezig zijn om dat aan te vullen. Maar op een gegeven moment ben je gesetteld; je hebt lieve kindjes, een intelligente vrouw, een fijn huis en een leuke baan. Je tekort is van alle kanten aangevuld. Toch blijft er ook dan iets knagen, want er is altijd wel een nóg slimmere vrouw te vinden, een groter huis, een betere baan… Is het menselijk tekort rekbaar, groeit het met ons mee? Wat is het in ons dat we altijd maar meer willen en zo grenzeloos zijn in onze ambities en verlangens?

Dat is een heel interessante kwestie. De oneindigheid zit niet zozeer in de wereld om ons heen, want die is eigenlijk helemaal niet zo oneindig. Grond-stoffen zijn eindig, dagen zijn eindig, het geduld van je vrienden is eindig.

Die oneindigheid zit in onze begeerte: wij kunnen namelijk alles willen. Dat is wel een grappige observatie van Descartes: wanneer je zegt dat de mens naar Gods beeld en gelijkenis geschapen is, dan geldt dat vooral voor de wil. Want de wil is oneindig. Onze waarneming is beperkt, ons verstand is zeer beperkt, ons hele kunnen is beperkt, maar onze wil: daar is geen grens aan.

Dus zijn we altijd ontevreden, net als de visser en zijn vrouw uit het sprookje van de gebroeders Grimm. De visser is arm en woont in een pot. Hij vangt een vis die een betoverde prins blijkt. Hij spaart zijn leven en mag een wens doen; hij wenst een mooier huis. Maar elke dag moet hij van zijn vrouw terug om nog meer te wensen. Tot slot wil ze God worden.

Tolstoj heeft ook zo'n prachtig verhaal: hoeveel land heeft een mens nodig? Een grootgrondbezitter zegt tegen de hoofdpersoon: 'Het hele gebied waar je vandaag tussen zonsopgang en zonsondergang omheen kunt lopen, is van jou.' Maar die persoon blijft lopen, om nóg een bosje of nóg een meertje aan zijn nieuwe eigendom toe te voegen. Dus die komt niet terug. Uiteindelijk heeft hij niets. De suggestie van het verhaal is dat de grootgrondbezitter dat wist.

Het zijn twee mooie verhalen, die laten zien dat er iets oneindigs zit in ons wil-

'Onze gedachten zijn altijd een combinatie van wil en voorstelling, van emoties en idee.'

len. We willen alles en wel nu. Maar die oneindigheid is een eigenschap van onze mentaliteit, van ons gemoed, van onze ziel zogezegd. De wereld hoeft zich daar geen bal van aan te trekken, en doet dat doorgaans ook niet.

Die wil zit niet alleen in de mens, toch? Volgens Spinoza zit die in al wat leeft.

'Al wat leeft, streeft,' zegt Spinoza. Hij heeft het over *conatus:* dat is heel algemeen 'het streven', de tendens. Anderen noemen het een *élan vital*, levenskracht; Schopenhauer spreekt van 'de wil' in zijn hoofdwerk *De wereld als wil en voorstelling.* Hij gaat zelfs zover om de wil ook een rol te laten spelen bij niet-levende dingen.

Dus het heeft niet zozeer met het vermogen tot denken te maken?

Jawel, het streven is basaal in de hele natuur en bij ons speelt het een rol in ons denken. Als je denken met Schopenhauer opvat als voorstellingen maken, dan heb je alleen iets aan die voorstellingen als je er je streven richting mee kunt geven. Denken is nooit meer dan het vormgeven aan wat je wilt. De wil, de emoties zijn de motor.

Het willen is er eerst. Is het denken alleen maar een van de instrumentjes die je gebruikt om het willen vorm te geven?

Zo is het volgens Schopenhauer. Martha Nussbaum gaat verder: zij vindt dat je emoties niet tegenover het denken moet stellen, maar ze als het belangrijkste onderdeel van denken moet zien. We moeten af van de gedachte dat rationaliteit goed zou zijn en emoties dom. Daar ben ik het mee eens. Onze gedachten zijn altijd een combinatie van wil en voorstelling, van emoties en idee. Anders kun je ambitie in de gebruikelijke betekenis van het woord ook nooit snappen. Ambitie is niet alleen maar wil, maar ook niet alleen maar voorstelling. Als je een heel helder beeld hebt van waar het naartoe zou kunnen, maar je hebt er totaal geen zin in, dan gebeurt er niets. We hebben ze allebei nodig. De oneindige wil en het beperkte verstand.

Hoe anders is de wil bij een mens en bij een dier precies?

Conatus valt bij ons en bij andere hogere diersoorten uiteen in *appetitus* en *voluntas*. *Appetitus* is wat je lekker vindt; *voluntas* is datgene wat je welbewust

'Onze waarneming is beperkt, ons verstand is zeer beperkt, ons hele kunnen is beperkt, maar onze wil: daar is geen grens aan'

doet. Ik zou zeggen dat alle dieren *appetitus* hebben, dus lust- en onlustgevoelens, maar dat je *voluntas* alleen bij ons en andere hogere diersoorten vindt.

Om weer terug te komen op de ambitie: een baby heeft niets anders dan *appetitus*, directe lust- en onlustgevoelens, als reactie op zinnelijke indrukken. Hij heeft helemaal geen *voluntas*, een baby wil niet groot en beroemd worden of zo, en hij wil ook niet zozeer eten; hij wil alleen maar dat het vervelende gevoel van honger weggaat. Dat sturen op genot en afkeer blijf je je hele leven doen, maar langzaam maar zeker komt daar de *voluntas* bij. Je hebt in zoveel milieus verkeerd, je bent in zoveel kringen geweest dat je op grond van ervaring en herinneringen alleen al een beeld kunt vormen van waar je wel en niet wilt zijn.

Je ontwikkelt het vermogen om je situaties voor te stellen die je ideaal zou vinden. Je laat je niet langer als een biljartbal heen en weer stuiteren door de gebeurtenissen. In plaats daarvan begin je te denken: die sfeer, die ken ik nou wel, daar wil ik niets meer mee; op naar de volgende. Een eenvoudig voorbeeld is de ontwikkeling op school. Je wordt naar de basisschool gestuurd; daar zou je zelf niet opgekomen zijn, maar het went of wordt zelfs leuk. En eenmaal in groep acht wil je zelf al een beetje verder, naar de middelbare school. Daarna kies je steeds bewuster welke volgende fase je in gaat. Zo zie je hoe langzaam de *voluntas* zich ontwikkelt, het welbewuste streven.

Stopt het ooit, die wil om verder te willen?

Het stopt nooit helemaal, maar het krijgt wel een duidelijker richting. Je zou kunnen zeggen dat ambitie in de betekenis van 'iets willen bereiken wat je zelf hebt gepland' in zekere zin misschien wel een soort tragisch proces is waarbij je leert afzien van de oneindigheid van je wil. Want wanneer je kiest voor het ene gebied, dringt langzaam het besef door dat daarmee andere gebieden voor jou afgesloten zullen zijn. Als je besluit geneeskunde te gaan studeren, weet je dat je geen archeoloog meer wordt. Elke keuze die je maakt sluit een andere keuze uit. Dat is tragisch, maar niet alléén maar tragisch; je kunt er enorm veel bevrediging in vinden. Als je er maar tevreden mee bent.

Word je je meestal ook niet pas achteraf, met terugwerkende kracht, van je ambities bewust? Neem jouzelf. Als je nu terugkijkt, kun je concluderen dat je een grote rol hebt gespeeld in het toegankelijk maken van de filosofie in Nederland. Door *Filosofie Magazine* op te richten, door je werk bij de isvw en nog veel meer. Maar is dat iets waar je doelbewust naartoe hebt gewerkt, of zie je dat pas achteraf?

Toen we *Filosofie Magazine* oprichtten, hadden we wel al echt de ambitie om filosofie tot een normaal onderdeel van de Nederlandse cultuur te maken, net zo normaal als concertbezoek, museumbezoek, het kijken naar voetbalwedstrijden of – eventueel – het bezoeken van een kerkdienst. We wilden dat filosofie gewoon ter beschikking kwam van de Nederlanders, dat die daar gebruik van konden maken. Dat was het expliciete doel. En dat is bereikt.

Maar ook daar was dat 'op goed geluk rondwandelen' bepalend. We hadden bij *Filosofie Magazine* soms vergaderingen met wel dertig mensen. Niet efficiënt, wel nodig: als je wel iets wilt maar niet weet hoe je dat kunt bereiken, moet je veel mensen op de been brengen. Dan heb je nog geen idee, maar er gebeurt wel van alles. Dat is een belangrijk punt: ambities zijn altijd sociaal. Veel mensen denken dat ambitie je persoonlijke streven is om iets voor jezelf te worden. Dat is een misverstand. Je moet ergens bij horen om eruit te kunnen steken. Dat erbij willen horen is fundamenteel, ook als het om ambitie gaat. Als je er niet bij hoort, is er geen enkele ambitie denkbaar. Je moet altijd met andere mensen dingen doen. Eerst door je te laten meeslepen, daarna door jezelf daarin een rol toe te eigenen.

Dus is het belangrijk en allesbepalend welke kringen je binnen stommelt, al rondwandelend; hoe leuk je het daar vindt en hoe vastbesloten je bent om dáár iets tot stand te brengen; en of je het vermogen hebt óm die dingen vervolgens ook tot stand te brengen – de mensen in je omgeving moeten je niet allemaal een grote klootzak vinden, want dan kom je nergens, hoe groot je ambitie ook is.

Helemaal aan het eind kun je dan de balans opmaken: in welke sferen heb ik mij bewogen, wat heeft het gebracht en wat heb ik eraan bijgedragen? Die winst- en verliesrekening zou je dan de zin van jóuw leven kunnen noemen. Of de verwezenlijking van jóuw ambitie.

Dat we over het algemeen uit zijn op economische groei en moeite hebben met krimp, komt dat ook door de aard van de mens? Omdat het in ons zit om meer te willen en nooit minder?

Het verhaal van onze kennisbehoefte gaat ook op voor de behoefte aan materiële zaken. Maar vervolgens loop je aan tegen allerlei vormen van schaarste. De wal keert het schip. Je kunt nog zoveel willen; als het er niet is, houdt het op. De omstandigheden maken datgene wat je wilt onmogelijk.

En daar komt je verstand op de proppen. Het verstand, dus het vermogen om dingen te plannen, kwesties over een langere termijn te bekijken, kan je wil niet stoppen, maar wel begrenzen. Het kan een soort architectuur maken van wat er wél is en daar rekening mee houden, zodanig dat de wil weliswaar niet oneindig bevredigd wordt, maar er overall toch sprake is van een zekere harmonie en tevredenheid. Je wilt heel veel lekkere dingen eten maar je weet dat het niet goed is, dus eet je zoveel als gezond is.

Dan corrigeer je die wil met je verstand.

Ja. De wil is de motor die met een oneindige kracht vooruitblaast; het verstand kan niet veel meer doen dan wijzen op eerdere teleurstellingen, bij wijze van waarschuwing. Dat is niet erg heroïsch, het voelt bovendien als een begrenzing van je spontaniteit. Maar het voorziet wel in de mogelijkheid je ambitie te begrenzen.

XI

OVER LEREN

Waarom wij niet leren van onze fouten

Ik snap jou niet. Je hebt me wel eens verteld dat het hele leven van de mens erop is gericht zichzelf te verbeteren, zijn menselijk tekort aan te vullen; en nu wil je een hoofdstuk wijden aan de vraag waarom wij níét leren van onze fouten.

Klopt.

Vertel dan eerst maar eens van welke grote fout in jouw leven jij niet hebt geleerd.

Ik kan er heel veel noemen, maar als ik het slagveld zo overzie denk ik dat ik voor de grootste fouten toch bij mijn liefdesleven uitkom.

Mooi! Ik ben gek op verhalen over fouten in de liefde.

Ja, je bent een loeder. Het doen van verkeerde partnerkeuzes, daar zit bij mij echt een duidelijke lijn in. Daar heb ik keer op keer niet van mijn fouten geleerd – tot ik verliefd werd op Babs, met wie ik nu al jaren heel gelukkig ben getrouwd en die ik innig bemin en…

Ja, ja. Kom op met die fouten!

Bij bijna al mijn vriendinnen – tot Babs – was sprake van eenzelfde patroon. Je stort je ergens in, je ziet dat het niet goed gaat, je blijft proberen het wel goed te krijgen, uiteindelijk gaat het mis. Daarna stort je je opnieuw in een verkeerde relatie. In het begin had ik twee jaar nodig om bij te komen van een breuk, daarna een jaar – ik werd wel steeds handiger in het verwerken van mijn relaties. Maar ik leerde er weinig van; want steeds opnieuw viel ik voor de verkeerde vrouw.

Maar op een gegeven moment werd je verliefd op Babs. Dus toch iets geleerd?

Ik weet niet zeker of dat kwam doordat ik eindelijk iets had geleerd. Natuurlijk leer je in zekere zin altijd van je fouten, ik denk dat je uiteindelijk wel beschaafd wordt, in de letterlijke zin van het woord: dat je door tegenslagen en vergissingen 'bijgeschaafd' wordt en jezelf langzaam maar zeker enigszins polijst. Maar ik ben ervan overtuigd dat je niet zo heel véél leert door vallen en opstaan.

Dat wordt ons anders wel vaak verteld.

Ja, het is de gangbare opvatting die je ook in de filosofie tegenkomt. Bij iemand als Karl Popper bijvoorbeeld, die zegt: uiteindelijk is er op geen andere manier kennis te verwerven dan door een zekere, *sophisticated* vorm van *trial and error*. Stort je er maar in, laat de wal het schip keren en wat zich dan aan je voordoet, dat is je vooruitgang. Maar daar geloof ik niet in. Volgens mij werkt het zo niet.

Waarom niet? Jouw mantra is dat mensen een biologisch en een cultureel repertoire hebben. In plaats van blijven hangen in ons biologisch repertoire, moeten we onszelf cultiveren. Hoe kun je dat anders dan door van je fouten te leren?

Wat we doorgaans verstaan onder het leren van fouten, is eigenlijk iets anders. Meestal wordt daarmee bedoeld: je aanpassen. Dat wij zo zijn als we zijn, komt niet zozeer doordat onze voorouders van hun fouten hebben geleerd, maar

> 'Wie zegt dat hij zo enorm heeft geleerd van zijn fouten, is eigenlijk alleen maar bezig zichzelf gerust te stellen.'

doordat ze zich aan de veranderende omstandigheden hebben aangepast, net als de andere soorten. Dat is wat je in je leven ook leert: fit te zijn voor je omgeving, die jou steeds maar problemen en hobbels voor de voeten werpt. Heel aardig – maar ik vind het toch tamelijk treurig wanneer aan het eind van je leven blijkt dat je tot niks anders in staat bent geweest dan leren om je buitengewoon goed aan te passen.

Er moet méér zijn dan je staande houden?

Ja! En dat gebeurt ook. Als je naar de meeste mensen kijkt, zie je dat ze veel meer doen dan zich aanpassen. Kijk maar naar iets zeer gewoons als de huishoudhulpjes van Sorbo, die in kleurige verpakkingen in de winkels hangen. Die doen veel meer dan problemen oplossen. Daar is sprake van uitbarstingen van totale creativiteit. Ooit heeft iemand een flessenlikker bedacht, om maar iets te noemen.

Volgens mij gaat wat wij doen, een stuk verder dan klappen opvangen en bedenken hoe we die klappen in de toekomst kunnen voorkomen. Als wij alleen maar van onze fouten zouden leren, zouden we net als andere dieren ons biologisch repertoire hebben en meer niet. Misschien hadden we het daarmee wel gered, maar misschien ook niet. Niet, denk ik eigenlijk, omdat we een veel te zwakke diersoort zijn; een rare, kale, rechtop lopende bundel knoken met een scheutje doodsangst, veel meer zijn we niet, en dan word je dus voortdurend opgegeten door leeuwen die klauwen hebben en scherpe tanden. Ik heb dus het idee dat je mensen niet begrijpt – en dan met name de cultuur van mensen niet begrijpt, oftewel: wat mensen leuk vinden, waar ze plezier in hebben – als je vasthoudt aan het idee dat wij alleen maar van onze fouten kunnen leren.

We doen meer.

Veel meer. We passen ons eigenlijk maar in zeer beperkte mate aan. We passen de omgeving aan óns aan. En dat is een verschil tussen mens en veel dieren. Pas je je aan aan de omgeving en blijf je dus eigenlijk leven met de natuurlijke rampen die op je afstormen – of met de kleine ongemakken, laat ik niet zo dramatisch doen –, of bedenk je iets beters? Volgens mij doen we dat laatste. We gaan veel verder dan we vanuit de idee van aanpassen zouden moeten. Het Empire State Building is welbeschouwd een volstrekt overdreven oplossing voor het feit dat een grot vochtig is en alleen woonruimte op de begane grond heeft waardoor er beren naar binnen kunnen lopen.

Dat overschot aan creativiteit, zonder dat we zoals de Duitsers zo mooi zeggen *von hinten gedrängt* worden door al onze beperkingen, maar eerder *von vorne gezogen*, is wat mensen leuk maakt. En wat ík leuk vind.

Het is ook wat het leven moeilijk maakt. In je aanpassen aan de omstandigheden, zit een zekere elegantie. Dieren kunnen dat heel goed, kinderen tot zekere leeftijd ook, volwassenen hebben het er moeilijker mee. Sommigen gaan meditatiecursussen doen om maar weer in de buurt te komen van de zorgeloosheid van destijds. En van de relatieve gemoedsrust van iemand die slechts zijn natuurlijke repertoire heeft om met de problemen die hij tegenkomt om te gaan. Wij kunnen daarnaast ook nog eens mogelijke andere problemen voorzien of ons problemen van vroeger herinneren. Wij tobben. Dieren niet.

Zou je graag een wijze boeddhist zijn?

Wijze boeddhisten hebben wel een punt. We hebben onszelf uit onze natuurlijke omgeving los gedacht en creatief als we zijn, zijn we zelfs oplossingen gaan bedenken voor niet-bestaande problemen, neem het leven in de hel, of de Efteling en Disney World. Zo zijn we nieuwe leefomstandigheden voor onszelf gaan creëren. En die nieuwe, geheel door onszelf geproduceerde leefomstandigheden zijn zo langzamerhand onze natuurlijke omstandigheden geworden, waarin we net zo gemakkelijk de weg kwijtraken als in een oerbos. We vinden het volkomen normaal om in de stad te wonen. De oosterse manier van denken is óók in steden ontstaan. Die is niet ontstaan in een periode waarin wij nog in een paradijselijke directheid met onze omgeving waren, maar was een reactie op die maffe *overflow* van creativiteit in verstedelijkte gebieden. Het is goed dat je je loswerkt uit je natuurlijke omgeving en zélf je omgeving gaat maken. Maar de prijs daarvoor is een zekere onnatuurlijkheid, een zekere neurose. Het menselijk tekort blijft onverminderd doorspelen. We blijven tobbers die zich van alles inbeelden, en daar hebben de boeddhisten een remedie voor: meditatie.

Wat is onze drijfveer voor wat je een 'maffe overflow van creativiteit' noemt? Is dat een soort overcompensatie?

Als het overcompensatie zou zijn, zou het dus in de probleemoplossende sfeer blijven. Dan verdwijnt die leuke dimensie dat we ook dingen echt los van ons natuurlijk repertoire doen. En dat we zo'n ding gewoon leuk vinden.

Misschien moeten we de verklaring voor onze creativiteit zoeken in een zeker schuldgevoel ten opzichte van de wereld. Vroeger gaf de natuur ons alles en wij beïnvloedden die natuur niet, we genoten ervan en we leden eronder. Die natuurreligies waren animistisch: de natuur was goddelijk en fantastisch, alles was goed zoals het was, roofdieren waren je natuurlijke vijand zoals jij de natuurlijke vijand was van kleine konijntjes. Op een gegeven moment is de mens de natuur gaan dresseren. We zijn in huisjes gaan wonen en gaan telen, zowel vee als planten. Dat moet een enorm *unheimisch* gevoel hebben gegeven: wij doen iets wat vroeger de natuur deed, hoe hálen we het in ons hoofd?

Dat idee van godje spelen speelt niet alleen bij de genetica, het is een heel oud motief. Ik vind het een goede hypothese dat we ons vanaf veertigduizend jaar geleden, de tijd van de grotschilderingen, een beetje schuldig zijn gaan voelen. Uiteindelijk hebben we ons helemaal losgemaakt van de natuur en zijn we oogverblindende dingen gaan maken, zoals het Empire State Building, en instituties gaan verzinnen als de rechtstaat en het onderwijs. Over onderwijs gesproken! Is het niet onvoorstelbaar dat wij zoveel energie en tijd besteden aan het up to date brengen van onze nakomelingen, over hoe je je staande moet houden in de moderne samenleving? Aan de tijd die een kind nodig heeft om tot volwassenheid te komen – twintig, vijfentwintig jaar – kun je afmeten hoe ver wij van ons natuurlijke, aangeboren repertoire af zijn komen staan.

Ik wil nog even terug naar je liefdesleven. Wat heeft ervoor gezorgd dat je uiteindelijk toch bent gaan inzien dat het anders moest? Kennelijk leerde je wel van je fouten.

Maar er moet iets anders bij gekomen zijn. Ik word altijd erg ongemakkelijk van mensen die, als er iets akeligs gebeurd is, zeggen dat je ervan leert. Je hebt een verkeerde auto gekocht, je klaagt erover tegen je broer en die komt met de standaardreactie: ach, je leert ervan. Het zal je de volgende keer niet weer over-

> 'In de pauze tussen onze directe behoefte en de bevrediging daarvan hebben wij stoomtreinen verzonnen, de televisie, de flessenlikker.'

komen. Dat is helemaal niet waar; de volgende keer overkomt het mij gewoon wéér! Het is geen troost, ik had liever gewoon die hele auto niet gekocht, en bovendien: ik had het kunnen wéten. Ik had het kunnen bedenken. Wij zijn in staat dingen van tevoren te bedenken en dan de fout niet te maken.

En daar begint beschaving ook pas. Niet van eerst een fout maken en daarvan leren, maar dat je denkt: ik wil iets graag, ik voel me ergens toe aangetrokken, en dat je dan je lust niet meteen bevredigt maar een plan maakt. En dan denkt: hm, nu ik er nog eens goed over nadenk, moet ik constateren dat ik die auto maar beter niet kan kopen. Dát vind ik beschaving.
Je zegt eigenlijk: je leert niet van je fouten, je leert van fouten die je nog niet hebt gemaakt.

Precies. Wie zegt dat hij zo enorm heeft geleerd van zijn fouten, is eigenlijk alleen maar bezig zichzelf gerust te stellen. Hij maakt zichzelf wijs dat die fout toch ergens goed voor is geweest. Maar als je zo redeneert, blijf je eigenlijk een passieve deelnemer aan het wereldgebeuren. Je ziet de wereld als iets wat over jou heen rolt, wat jou overkomt. Je schiet permanent tekort, want jij bent klein en de wereld is groot, en iedere keer dat er iets over je heen is gerold zeg je: maar ik heb er toch van geleerd!

Mensen zeggen ook wel eens: het moest zo gaan.

Dan wordt het echt akelig, vind ik. Je mag, als er een vliegramp op Tenerife is geweest, niet zeggen dat het in de samenhang van het grote spirituele geheel misschien toch ergens goed voor is geweest. Wie zo redeneert, miskent eigenlijk twee dingen. Ten eerste dat iets echt gewoon een ramp kan zijn, een ramp waar niks leuks aan is; en het andere is dat er heel veel dingen zijn waar we wél verantwoordelijkheid voor dragen, die we wél tot stand brengen en waar we de credits voor kunnen opeisen. Want in dit wereldbeeld dat hoort bij 'het moest zo gaan' ben je nooit schuldig; je bent immers altijd aan het leren.

Je bent een lijdend voorwerp. Een lulletje rozenwater.

Een biljartbal. En dat vind ik echt niet prettig. Het enige wat er gebeurt is dat je jezelf uiteindelijk nergens verantwoordelijk voor acht. Dan ga je je hele leven klagen, want jou overkomt maar van alles en je kunt er niets aan doen. Andersom geef je ook de mogelijkheid op om credits voor iets op te eisen. En dat is nou toevallig net wél de zin van het leven. Aan het einde van je leven moet je kunnen zeggen: dit heb ik, met alle mogelijkheden en moeilijkheden die er waren, tot stand gebracht.

Maar toch. Ik ken iemand die heel moeilijk nee kan zeggen, daardoor voortdurend te veel hooi op zijn vork neemt en vervolgens 's nachts in paniek naar het plafond ligt te staren. Wat kun je doen om die fout – ja zeggen terwijl je geen tijd hebt – niet meer te maken? Als we niet van onze fouten leren, waarvan dan wel?

Iedereen kan stoppen met slecht of ongezond gedrag. Je hoeft niet te wachten tot je fouten je om het leven brengen. Als het maken van fouten niet het afdoende middel is dat ons van bepaald gedrag afhelpt, moet er een andere strategie zijn. Volgens mij is leren gewoon het evolutieproces, en dat werkt veel meer met successen. De foutenmakers sterven uit. De natuur is één grote trainingszaal waarin mensen, dieren en planten voortdurend op hun beperkingen stuiten; uiteindelijk, een paar generaties verder, passen ze zich al dan niet aan en gaan daarbij vaak over de grenzen van het mogelijke heen. In die zin leren we van onze fouten, diep in onze natuur zit wel iets van een instinct dat helpt ons in de wereld staande te houden. En voor zover we via ons natuurlijke repertoire door onze emoties en dergelijke seintjes en tipjes krijgen om bepaalde dingen niet te doen – van een klip afspringen waar geen rivier onder stroomt – moeten we dat instinct zeker serieus blijven nemen. Maar leer er bij voorkeur van vóór je die fouten maakt.

Intussen is er iets interessants met mensen gebeurd. Wij hebben ons deels losgemaakt van dat natuurlijke repertoire: wij hebben het vermogen ontwikkeld om 'nee' te zeggen waar onze natuurlijke toerusting 'ja' roept. We kunnen voedsel zien en besluiten het eten daarvan nog even te stellen, of iets heel anders te maken. Dat is knap. Het is ook weer onze glorie en de misère, want het levert iets op; maar je doet ook iets niét. Jij en ik springen niet nu op elkaar, terwijl we dat misschien best zouden willen. Er zit een zekere frustratie in, namelijk dat je natuurlijke aandrang tot directe behoeftebevrediging wordt opgeschort; maar het ongelooflijke voordeel van dat opschorten is dat wij onze totale cultuur en beschaving eraan te danken hebben. In de pauze tussen onze directe behoefte en de bevrediging daarvan hebben wij stoomtreinen verzonnen, de televisie, de flessenlikker. We hebben dingen uitgevonden die geen oplossing van een probleem waren, maar een regelrechte verbetering.

> 'Problemen hebben een begin en een eind, maar kansen zijn grenzeloos.'

Waarom denken we zo graag in problemen en oplossingen? Waarom denken we alleen door vallen en opstaan te kunnen leren?

Omdat problemen weliswaar naar zijn, maar tegelijk een heerlijke focus geven. Zolang er een probleem is, weet je precies wat je moet doen: het probleem oplossen. De saamhorigheid tussen mensen met hetzelfde probleem is hartverwarmend. Je hebt een gezamenlijk project. Dat verklaart waarom mensen op de oorlog terugkijken als een verschrikkelijke, maar toch ook fijne tijd.

Hoe ga je nu met dingen om die géén probleem zijn? Laten we zeggen: met kansen, met mogelijkheden? Daar zijn er wel honderdduizend van. De kunst is om dat lekkere gevoel van urgentie en focus niet alleen te bewaren voor problemen, maar het ook tot stand te brengen en vast te houden als je met nieuwe dingen bezig bent, met kansen dus. Dat is nog knap moeilijk. Als er water in de woonboot stroomt, weten jij en ik meteen wat we moeten doen: hozen. Het is evident dat dat water weg moet, meer mogelijkheden zijn er niet. Bij een kans, een mogelijkheid die uit onze verbeeldingskracht stamt, zijn de mogelijkheden talloos. Het is veel moeilijker om samenwerkingen aan te gaan; mijn ideeën zijn altijd in competitie met die van jou. Ik kan jou overtuigen van de grootsheid van mijn plannen, jij kunt er de jouwe tegenover zetten. Problemen hebben een begin en een eind, maar kansen zijn grenzeloos. Er zijn honderdduizend momenten waarop de aandacht voor datgene wat je tot stand wilt brengen, verzwakt. Alleen maar omdat datgene waarmee je bezig bent nog niet reëel is; het moet nog tot stand gebracht worden. Je kunt halverwege ophouden. Er is altijd iets anders leuks wat je óók kunt doen.

Dat klinkt bijna alsof je van een kans het best een probleem kan maken. Door strenge deadlines op te leggen, bijvoorbeeld, en harde straffen als je die niet haalt.

Ja. Alleen is denken in problemen een onvoorstelbare pretbederver. Mensen nemen er hun toevlucht toe omdat het oplossen van een probleem zo'n lekker organiserende functie heeft, maar wanneer je kansen als problemen gaat zien, wordt het leven er niet vrolijker op. Hoe verleidelijk het ook is, gezien de urgentie die je ermee creëert, het lijkt mij toch niet dé oplossing. Je krijgt er een erg chagrijnige samenleving van. Het is een gewoonte die we liever vandaag dan morgen moeten afleggen. Ik denk dat je kansen moet zien als kansen, en daar helemaal uit jezelf mee aan de slag moet gaan. Aan de slag gaan met een kans is weliswaar lastiger dan aan de slag gaan met een probleem, maar als het lukt is het resultaat oneindig veel bevredigender.

XII

OVER AARDIGHEID

Waarom aardig zijn zo lastig is, en of aardigheid kan samengaan met macht.

Zeg René, vind jij jezelf aardig?

Nou, dat wil ik wel graag zíjn. Ik doe ook erg mijn best. Maar het is moeilijk, voor je het weet trap je iemand op zijn ziel.

Vind je jezelf wel aardiger dan tien jaar geleden?

Ja, dat wel. Ik denk dat ik er vaker in slaag om aardig te zijn dan vroeger.

Wat is aardigheid eigenlijk, een eigenschap of een deugd?

Dat is een cruciaal punt: is het iets waarmee je geboren wordt, of iets wat je verwerft? Ik ben niet zo van het christendom maar ik ga nu toch even Jezus citeren, die in Mattheus 5:5 zegt dat de zachtmoedigen gezegend zijn en het aardrijk beërven. Dat is een paradoxale opmerking. Bedoelt Jezus dat degenen die van nature zachtmoedig zijn, die dus domweg zachtmoedig zijn geboren, getroost kunnen wachten tot de erfenis hun in de schoot valt? Of is het een oproep aan hardvochtigen om zachtmoedig te worden en belooft hij die harde werkers het aardrijk als beloning? Ik hoop het laatste, want ik ben een verstokte activist.

Zelf denk ik dat aardigheid geen eigenschap is waarmee je wordt geboren, maar een kwaliteit die je moet verwerven. Er zijn veel dingen die het moeilijk maken aardig te zijn. Je bent heel vaak per ongeluk ónaardig, zeker als je jong en onhandig bent. Met de beste bedoelingen wordt vaak het grootste kwaad aangericht, en dat geldt ook hier. Bijvoorbeeld omdat je de situatie waarin je je bevindt niet goed hebt ingeschat en een onschuldig grapje zomaar een enorme belediging wordt. Of omdat je jezelf niet goed kent en de ander ook niet – ik schijn een heel zekere indruk te maken, ook als ik me onzeker voel. Dan kun je, terwijl je bedoelingen fantastisch zijn en je niets liever wilt dan vrede op aarde en hartstochtelijke liefde van iedereen voor iedereen, onvoorstelbaar onaardig zijn.

Maar wat is dan aardig? Wanneer ben je aardig? Als de meeste mensen zich zo min mogelijk aan je storen?

Aardigheid heeft twee betekenissen. De eerste betekenis van aardig zijn is letterlijk: je eigen aard hebben. Dat betekent dus helemaal niet automatisch dat je aardig bent in de zin van vriendelijk voor de mensen. Het kan namelijk best dat je een kwaaie aard hebt, kwaadaardig bent. En de tweede betekenis van aardig is die uit het alledaagse taalgebruik: dat er geen wanklanken zijn, dat iemand probeert van een contact met iemand anders iets vriendelijks te maken.

Die twee staan op gespannen voet met elkaar. Elk individu leeft onder een grote spanning, veroorzaakt door een heel basaal feit dat we door twee grote driften worden voortgestuwd. Aan de ene kant wil het individu bij zijn groep

> 'Met de beste bedoelingen wordt vaak het grootste kwaad aangericht.'

horen, door die groep geaccepteerd worden, erin opgaan. Dat is een beetje een 'zelfloze' beweging. Aan de andere kant wil de mens niet naamloos, gezichtsloos en karakterloos bij die groep horen: hij wil uitstekend zijn, letterlijk: hij wil boven de groep uitsteken.

Voor de bevrediging van de ene drift moet je je eigen aard een beetje aan de kant schuiven, voor de bevrediging van de andere moet je er juist heel erg op hameren. In deze paradox is het verstand de slapjanus die meestal niet kan kiezen welke emotie hij zal volgen.

Plato gebruikte de metafoor van het tweespan: een wagentje met het verstand als koetsiertje op de bok en de twee driften als paarden ervoor. Ik zou die metafoor wat willen aanpassen. Bij mij vertegenwoordigt het zwarte paard dan de erotische kant van de mens, de begerende kant, het 'erbij willen horen', de drang om op zoek te gaan naar gezamenlijkheid. Het witte paard vertegenwoordigt de trots, de wens om naam te maken, een eigen bijdrage te leveren aan het geheel; de wil boven de massa uit te steken.

Die eerste drang, erbij willen horen, is de primaire. Want als je geen groep hebt om bij te horen, kun je ook nergens boven uitsteken. Maar die tweede drang is minstens even sterk; de mens verdomt het om naamloos ten onder te gaan. Daarom heeft Kant het erover dat wij 'ongezellige gezelligheidsdieren' zijn.

Is aardig zijn in de eerste betekenis van het woord, dus 'je eigen aard hebben', hetzelfde als 'jezelf zijn'?

Ja, je moet 'eigenaardig' zijn, er uitsteken, en dus jezelf zijn en niet opgaan in de groep. In die betekenis is aardig zijn volgens mij veel moeilijker dan in de betekenis van 'vriendelijk zijn voor anderen'. Je hoort dat vaak: we moeten onszelf zijn. Maar of je dat 'zelf' ergens kunt aantreffen of dat je het zelf in elkaar moet knutselen, wordt er zelden bij gezegd.

Nietzsche zegt dat je gedurende je leven moet worden wie je bent.

Dat is een heel mooie uitdrukking. Het slaat de brug tussen dat je blijkbaar iets bent, maar ook nog iets moet worden. Je begint niet als iemand die is wie hij is, want vanaf het moment dat je ter wereld komt ben je lid van een groep, van een sociaal geheel. Pas langzamerhand word je iets zelfstandigs; het duurt jaren voor je de trucjes hebt geleerd waarmee je je überhaupt van anderen kunt onderscheiden.

De oproep om vooral 'jezelf' te zijn is dus een beetje een wanhopige oproep. Ik word er altijd tamelijk ongemakkelijk van; ik weet nooit waar ik moet beginnen. 'Word jezelf' klinkt overzichtelijker, maar ik heb wel altijd de neiging eerst een biertje te nemen. Jezelf zíjn en jezelf wórden zijn twee verschillende strategieën. Jezelf worden is wat actiever, jezelf zijn wat meditatiever.

Je kunt jezelf ook een dubbele opdracht geven. Zeggen: ik vrees dat ik inderdaad mijzelf ben, maar ik wil daar wel iets aan toevoegen. En die toevoeging zoek ik in nauw contact met anderen. Ik wil diegene worden van wie ik a) het idee heb dat hij mijn verworven aard weerspiegelt, en b) die tegelijkertijd goed met anderen overweg kan. Dán heb je een soort gecombineerde aardigheid - aardigheid in twee betekenissen.

Maar dan moeten we toch nog even die definitie van dat tweede 'aardig' vaststellen, van het aardig in de zin van vriendelijk, lief. Is daar een soort gemeenschappelijke opvatting over?

Ik denk het niet. De een vindt jou aardig als je met twee woorden spreekt, de ander als je hem vol op de mond zoent. En volgens mij loopt het ook helemaal spaak als je altijd honderd procent aardig tegen iedereen wilt zijn. Als dat je doel is, schiet het niet op; want je moet behalve aardig ook heel veel andere dingen zijn in het leven. Je moet slim zijn, moedig, dapper, streng soms. Aardig is maar een van de vele eigenschappen die je nodig hebt in het leven. Als je alleen maar aardig wilt zijn, wordt het een weke bende.

Maar hebben wij hetzelfde beeld bij aardig? Heb jij bij een 'aardig mens' hetzelfde beeld als ik?

Laat ik zeggen wat ik denk dat het is. Je bent aardig als je anderen kunt ontzien zonder jezelf heel erg veel geweld aan te doen. Aardig zijn betekent eigenlijk: een goede verstandhouding met meerdere mensen hebben, in een zodanige sfeer dat je zelf niet uit je humeur raakt. Zoiets.

Tegen de mensen die ons het meest na staan, zijn we vaak het minst aardig.

Ik vind dat een bewijs voor het feit dat we niet aardig worden geboren. In de veilige omgeving van de mensen die we het best kennen - je familie, je gezin – ben je vaak veel ongegeneerder jezelf dan met vreemden. Je wilt zelf een eigen rol spelen, niet ondergeschoffeld worden door je broers en zussen. Maar tegelijk durf je dat ook het meest in je familie, omdat de banden enorm sterk zijn. Je hebt die mensen niet gekozen, maar je weet niet beter of het kan niet stuk. In je eigen gezin ontstaat door de tijd een soortgelijke vertrouwelijkheid en dus durf je veel gemakkelijker onaardig te zijn. In het gezin zijn de regels over aardig en onaardig veel onduidelijker dan bijvoorbeeld in een bedrijf. Tegen mensen die je na staan kun je veel botter zijn, en daarom zijn mensen dat ook.

Bewijst dat niet dat aardigheid niet meer is dan een sociaal glijmiddel en daarmee een tamelijk hypocriet goedje?

Nee, ik vind het een hoger doel. In het gezin moet je bedenken dat de banden helemaal niet eeuwig zijn, en dat je maar beter wel aardig kunt zijn tegen elkaar. Al vind ik ook weer niet dat je tot het uiterste moet gaan om dat doel te bereiken, hoor. Je kunt op een gegeven moment ook in een familie zitten waarvan je na een tijdje denkt: het is goed met jullie. En met vrienden gaat het ook niet vanzelf, want daar is het zaak juist niet in vormelijkheden te blijven steken.

Aardigheid is een doel, maar het is ook een deugd. Zijn deugden dus geen dingen die je bij je geboorte meekrijgt?

Nee nee, ik zie die deugden als kleine trainingsprogrammaatjes. Deugd vat ik op als 'ergens geschikt voor zijn'. Wat je moet verwerven, is niet de deugd 'aardigheid', maar de geschiktheid om aardig te kunnen zijn. Je moet jezelf behoorlijk kennen; je moet een beetje inlevingsvermogen hebben in anderen. En, niet onbelangrijk, je moet het willen. Je moet een motief hebben om het te gaan doen. Tot slot moet je, om aardig te zijn, een behoorlijke hoeveelheid zelfvertrouwen hebben. Je hebt er flink wat zelfbewustzijn voor nodig. Je moet behoorlijk veel durven.

Zelfvertrouwen? Durven? Waarom?

Je ziet vaak dat mensen die geen zelfvertrouwen hebben, min of meer achteloos dingen doen zonder rekening te houden met andere mensen. Ze denken: ik ben zo'n *quantité négligable*, wat zou ík nou voor schade kunnen aanrich-

'We moeten onszelf zijn, hoor je vaak. Maar of je dat "zelf" ergens kunt aantreffen of dat je het zelf in elkaar moet knutselen, wordt er zelden bij gezegd.'

ten? Vaak zijn onzekere mensen enorm beledigend, en ze zijn vervolgens stomverbaasd dat iemand daar helemaal ongelukkig van wordt. Stel, ik vind mezelf een sukkel. En vervolgens geef ik iemand anders de indruk dat hij een veel minder grote sukkel is dan ik. Dan geef ik die persoon vanuit mijzelf gezien een enorm compliment. Maar die ander denkt: Sukkel? Ik?

Dat is een heel belangrijk mechanisme, het richt veel schade aan. Je moet er volgens Kant dan ook veel alerter op zijn dat je zelf niet onaardig bent, dan dat mensen onaardig tegen jou zijn. Het gevaar dat je iemand anders bruuskeert, is groter dan het gevaar dat jij gebruuskeerd wordt. Het moet tot je doordringen dat je gemakkelijker iemand anders kunt kwetsen dan dat je zelf gekwetst wordt.

Maar hoe kun je dat voorkomen? Je denkt altijd vanuit jezelf, en in die zin ben je oprecht. Je hebt geen idee dat iets zo verkeerd op de ander kan overkomen.

Goede bedoelingen zijn niet genoeg, hoe oprecht ook. Bij zelfkennis hoort ook: inzicht krijgen in de indruk die jij op anderen maakt. Denk even terug aan die twee verschillende basisdriften van de mens. De tweede is: boven de groep willen uitsteken. Maar de eerste is: erbij willen horen, pleasen, willen dat anderen jou aardig vinden. Alleen: je kent jezelf nauwelijks, en je kent die ander trouwens ook niet. Jezelf en de anderen leren kennen kost tijd. Na een poos merk je dat het niet altijd aan anderen ligt als je goede bedoelingen niet begrepen worden. Je krijgt een beter beeld van jezelf en meer empathie met anderen.

Schopenhauer schrijft dat de belangrijkste en meest fundamentele drijfveer bij mens en dier het egoïsme is. Dat egoïsme is grenzeloos: 'Alles is voor mij en niets voor de anderen.' De enige niet-egoïstische drijfveer is het medelijden.

Van nature hebben we heel sterke reacties op het lijden van anderen. Dat betekent in elk geval dat we niet totaal egoïstisch zijn. Als je een ongeluk ziet gebeuren, wekt dat heel heftige afschuw op. Wie getuige is van een vechtpartij, lijdt mee met het slachtoffer. We zijn dankzij onze twee basisdriften niet alleen maar egoïstisch en ook niet alleen maar altruïstisch.

Is dat vermogen tot empathie ook een voorwaarde om aardig te kunnen zijn?

Ja, maar helaas dus ook om onaardig te kunnen zijn. Je kunt je empathie ook vergroten om mensen nog harder een loer te draaien. We zijn van nature niet egoïstisch of onaardig, en ook niet altruïstisch en aardig, maar we kunnen ons op al die vermogens toeleggen.

Ik heb zelf sterk het idee dat ergens deugdelijk in willen worden, geschikt voor worden, in de eerste plaats betekent dat je door moet krijgen wat je bindingen zijn. Pas als je hebt geëxperimenteerd met hoe anderen en jij in soortgelijke situaties reageren, kun je iets in elkaar zetten wat niet neerkomt op 'jezelf zijn', maar op 'zijn wat je wilt zijn'. Een moediger mens als de omstandigheden dat vragen, een intelligenter mens, een aardiger mens.

Ik vind mezelf best onaardig. Wat moet ik doen? Als ik Schopenhauer erbij pak, zinkt de moed me helemaal in de schoenen.

Maar Schopenhauer is in dit verband misschien toch wel leuk om te lezen. Hij is in zekere zin misschien wél aardig. Hij heeft 'onaardig zijn' tot handelsmerk gemaakt en dus scheldt hij op iedereen. Maar het rechtvaardige van hem is: hij scheldt echt op iedereen! Hij scheldt op Fransen en Engelsen, op joden en Duitsers. Hij scheldt op vrouwen en op mannen, op kinderen en grijsaards en op zichzelf. Iedereen krijgt ervan langs want zijn idee is: de mens is een door zijn redeloze wil gedreven wezen, een ongeleid en daardoor onaardig projectiel. Dat is de eerste troost: je bent niet onaardiger dan anderen.

Vervolgens wijst Schopenhauer op uitwegen. We kunnen ons een voorstelling maken waarmee we die redeloze wil enigszins in banen kunnen leiden, en in een enkel geval tot zwijgen kunnen brengen. Die uitwegen liggen in de kunst, vooral muziek, in filosofie en wetenschap en zelfs in religie – Schopenhauer was vooral gecharmeerd van oosterse religies.

Het enige lichtpuntje in onze wil zit volgens Schopenhauer in onze empathie. We kunnen ons verplaatsen in anderen, het lijden van anderen emotioneert ons. Bij dat sprankje goede wil moeten we ons dan maar aansluiten, vond hij – en kijken of we dankzij ons vermogen tot empathie en medelijden toch iets van een aangename sfeer in een gemeenschap kunnen boetseren. Schopenhauer schetst dus eerder de problemen van het aardig willen zijn dan dat hij bewijst dat het onmogelijk is. Dat vind ik erg aardig.

Om aardig te zijn heb je anderen nodig, je kunt niet in je eentje als kluizenaar aardig gaan zitten wezen. Toch nog een keer: in hoeverre is het toch niet gewoon een sociaal glijmiddel? Is aardigheid wel echt? Of is het een schijnding waarmee je verder komt?

Dan raken we aan het eeuwige onderzoek naar authenticiteit. Volgens Rousseau ligt diep in iedereen een authentieke kern die aardig is; de mens is in wezen goed. Maar opvoeding en beschaving verzieken de boel.

Als je het tegenovergestelde beweert, namelijk dat er niets authentieks in je binnenste te vinden is omdat natuur een fictie is, dan zeg je dat ook aardigheid kunstmatig is. Het is iets natuurlijks, je maakt het zelf. En iets wat kunstmatig is, kan heel gemakkelijk ontaarden. Je kunt maniertjes ontwikkelen om aardig te zijn en dan bereik je precies het tegenovergestelde van wat je nastreefde. Je wilde iets echt moois maken, maar je raakt verstrikt in je trucjes. Je wórdt een verzameling trucjes; iemand ziet jou aankomen en denkt: god, daar heb je die lul weer, met z'n schijnheilige trucjes.

Aardig en schijnheilig liggen dicht bij elkaar. Je voelt aan of iemand aardig ís of aardig dóet. En jij zegt: we moeten aardig dóen.

Ja. Ik zou het leuk vinden als we die inspanning om aardig te willen zijn overeind houden en dat we er tegelijk in slagen die klip te ontlopen waarbij aardig doen ontaardt in fluimelarij.

Door het je eigen te maken, het te verinnerlijken.

Je moet bokken schieten en fouten maken en er geleidelijk achter komen hoe dat moet, aardig zijn.

Waarom moeten we eigenlijk per se aardig willen zijn?

Omdat dat de wereld prettig maakt. Het is heel plezierig dat je gewoon naar de Albert Heijn kunt lopen en dat iedereen daar aardig doet. Zelfs als mensen het spelen en faken, is het nog prettig.

Wie staat er recht tegenover Rousseau, als het om aardigheid gaat?

De beroemdste is Thomas Hobbes, met zijn uitspraak *homo homini lupus*: de mens is de mens een wolf. Rousseau zat in Frankrijk in de hoogtijdagen van het Franse gekunstelde hofgedoe met pruiken en maniertjes. Hij zei: de mens

> 'Je kunt maniertjes ontwikkelen om aardig te zijn en dan bereik je precies het tegenovergestelde van wat je nastreefde.'

is wel aardig, maar de absolute vorst maakt het hem onmogelijk. Hobbes zat iets eerder in Engeland, in die verschrikkelijke burgeroorlog. Er was helemaal geen vorst die het volk kon knechten, maar op straat liet iedereen zijn ware aard zien, volgens Hobbes. En die was helemaal niet aardig. Hobbes geloofde niet dat mensen nog aardig konden worden. Een sterke staat ertegenaan knallen: meer kon je niet doen.

Hoe verhoudt aardig zijn zich tot macht? Boudewijn Poelmann, oprichter van de Postcodeloterij, zei eens: 'aardigheid is een voorwaarde om macht te verwerven'. Maar de mensen moeten je die macht wel gunnen.

Je hebt in onze tijd en in onze wereld verschillende strategieën. Kijk naar de basisdriften: je kunt macht verwerven vanuit het collectieve gevoel én je kunt op macht uit zijn vanwege de behoefte om boven de groep uit te steken. Die richtingen bestaan naast elkaar en zijn allebei succesvol. Wat Poelmann zegt – je moet aardig zijn, dan kweek je een vertrouwensbasis – is de methode waarbij je eerst probeert een soort gemeenschappelijke grond te krijgen. Je verzekert je van medewerking en draagvlak, daarna kun je de richting van het geheel bepalen.

Daarbij kun je best streng worden, onaardig zelfs.

Bij de andere methode ben je je meer van je eigen voorsprong op anderen bewust en zeg je: ik bepaal wat er gebeurt – en je mag trouwens blij zijn dat je hier werkt, want je stelt eigenlijk niets voor. Dat kan keihard zijn, maar soms is zo'n onaardige *bully* prettiger – want duidelijker – dan degene die eerst met aardige praatjes komt en daarna toch onaangename dingen moet doorvoeren.

Maar het is dus niet zo dat macht en aardigheid zich per definitie niet tot elkaar verhouden.

Nee, het kan heel goed samen. Je kunt aardig zijn en machtig worden. Kijk naar Nelson Mandela. Of naar Gandhi.

XIII

OVER MORAAL

Waarom we ons gedrag niet moeten overlaten aan onze instincten.

Ooit zijn mensen helemaal uit zichzelf op het idee gekomen dat er zoiets bestond als goed en kwaad, dat er deugden bestonden en ondeugden. Hoe begint zo'n moraal?

Met het min of meer hoogmoedige besef dat de wereld anders, beter wordt als je bepaalde dingen niet doet en andere juist wel. Je moet een 'verbeter-overtuiging' hebben. Denken dat de wereld niet het beste af zijn als je de boel laat zoals je hem aantreft, maar dat hij leuker kan worden dan hij nu is. Dat geldt trouwens ook voor jezelf.

Voor het besef dat dingen beter kunnen, heb je op zich niet veel meer nodig dan een goed geheugen en een goede onderlinge communicatie, zodat je elkaar op de hoogte kunt houden van de stand van zaken. Mensen ontdekken vanzelf dat als je een handeling herhaalt, je hem de tiende keer veel beter doet dan de eerste keer.

Maar voor een gemeenschappelijke moraal, het denken over goed en kwaad, de ethiek, is meer nodig. Het blijkt verschrikkelijk moeilijk daar overeenstemming over te krijgen. Ook omdat lang niet iedereen vindt dat het goed is verbeteringen aan te brengen; er zijn genoeg mensen die ons graag uitleggen dat het veel slimmer is de zaken op hun beloop te laten. Dat is ook niet helemaal onzinnig, maar zelf geef ik de voorkeur aan de gedachte dat het altijd beter kan met de wereld. Zonder die verbeterovertuiging zou zoiets als de democratische rechtsstaat er nooit zijn gekomen.

Weten we niet min of meer instinctief wat goed voor ons is en wat niet?

Deels, maar ook echt alleen maar deels. Het lijkt heel voor de hand liggend dat alles wat mij plezier doet goed voor me is, en wat me chagrijnig maakt slecht. Maar denk aan de lol die je kunt beleven aan een sigaret en je weet dat die redenering niet opgaat. En van dingen die heel goed voor je zijn, kun je een afkeer hebben. We kunnen niet blindvaren op onze gevoelens van lust of onlust.

Die zijn ook voor iedereen anders. Wat de een geweldig vindt, vindt een ander walgelijk. Daarom hebben we zoiets als goede zeden nodig, de grondstof waarvan moraal is gemaakt. Die goede zeden zorgen ervoor dat de lusten en onlusten van de één niet ten koste gaan van de ander. Ze vormen een soort gemiddelde bandbreedte van lust- en onlustgevoelens.

In een parlementaire democratie streven we naar een toestand waarin sprake is van maximale lust en minimale onlust voor zoveel mogelijk mensen. Die moraal heet *utilisme*; het is de liberale moraal bij uitstek.

Maar de basis voor die moraal wordt dus wel gevormd door ons lichaam?

Door onze natuur, zou ik zeggen. We zijn van nature voelende en denkende wezens, zeggen de utilisten. Denken en voelen brengen gevoelens van lust en onlust voort. En we zijn ook oefenende wezens: onze natuur kan worden geperfectioneerd. We hebben het vermogen onszelf te oefenen en bepaalde zaken te trainen. Niet alleen goede dingen, ellendig genoeg – ook slechte. Een mens kan zichzelf oefenen om catastrofes aan te richten. Hij kan ook door anderen worden getraind en afgericht om verschrikkelijke dingen te doen.

Maar voor een moraal is dus meer nodig dan training. We hebben een idee van richting nodig, een gemeenschappelijke overeenstemming over doelen. Dat is het moeilijkste gedeelte van de moraal. Aristoteles verzuchtte al: 'Als we delibereren gaat het altijd over middelen, nooit over de doelen.' Immanuel Kant vraagt zich af hoe we aan die doelen komen. Hij zegt daar iets moois over: richtinggevende idealen groeien niet in de natuur en toch zijn ze noodzakelijk. We kunnen geen ethiek afleiden uit onze natuurlijke, ongerichte lust- en onlustgevoelens. Moraal ontstaat niet zomaar door je natuur te volgen; er moet iets bij. Die toevoeging bedenken wij gezamenlijk. We moeten doelen formuleren, en die doelen zijn moreel juist als ze voor iedereen goed zijn. Moraal is eigenlijk een aan jezelf opgelegde wet.

Is moraal hetzelfde als ethiek?

Je zou kunnen zeggen dat moraal het geheel is van zeden en gewoonten op een bepaald moment. De moraal zegt: zo zijn onze manieren. De ethiek is het nadenken over die moraal. Ethiek stelt de vraag of bepaalde zeden en gewoonten ons wel de goede kant op laten bewegen. De wereld is veranderlijk, dus moet onze moraal ook dynamisch zijn.

Een grappig voorbeeld van dynamiek in de moraal is hoe we aankijken tegen roken. Roken werd heel lang volkomen zedelijk gevonden. Roken werd geassocieerd met vrijheid, met het naoorlogse afscheid van donkere tijden, met zwarte coltruien en zware discussies in Franse cafés. Iedereen rookte: de taxichauffeur, de leraar, de Koningin. De heersende moraal was pro-roken, de niet-rokers leden in stilte. Nu, luttele decennia later, is het algemene oordeel over rokers negatief. Rokers schaden de gezondheid van gedwongen meero-

'Wat de een geweldig vindt, vindt een ander walgelijk. Daarom hebben we zoiets als goede zeden nodig.'

kers en dat is inmiddels terecht wettelijk aan banden gelegd: de werksfeer en de publieke sfeer zijn rookvrij. Dus: de ethische heroverweging van de naoorlogse rookmoraal heeft geleid tot een nieuwe moraal die inmiddels wettelijk is vastgelegd. Prachtig, daar houd ik mij zonder morren aan, dat heet "autonomie": jezelf (auto) onderwerpen aan de wet (nomos). Maar thuis gaat mijn persoonlijke strijd voor een juist en gematigd gebruik van legale genotmiddelen onverdroten voort. Die individuele worsteling is mij overigens even dierbaar als het parlementaire rechtsbestel dat mij het roken in openbare ruimten verbiedt.

Wij leren van onze opvoeders en onze omgeving wat goed is en wat fout. Maar hebben we dat besef eigenlijk niet ook van nature? Als je een groep peuters zou laten opgroeien op een van de buitenwereld afgesloten plek, zonder volwassenen, komen die dan tot dezelfde opvattingen als wij over goed en kwaad? Zouden ze een moraal ontwikkelen waar onze eeuwenoude zeven deugden en ondeugden deel van uitmaken?

Het is moeilijk voorstelbaar, want zonder volwassenen komen die peuters niet zo ver, maar ik denk het wel. Onze deugden en ondeugden zijn gebaseerd op universele motieven. Ze zijn niet Grieks en ook niet westers – de Chinezen hebben precies dezelfde ideeën over goed en fout als wij. Dat komt omdat we toch allemaal in hoge mate hetzelfde type dier zijn en in dezelfde wereld leven, waar we er met dezelfde beperkingen toch het beste van maken.

De deugden en ondeugden passen naadloos bij onze constitutie, bij hoe we in elkaar zitten. Ze zijn niet toevallig gekozen, het zijn vermogens die we van nature hebben en die we door training verder kunnen ontwikkelen; de deugden en ondeugden moet je zien als trainingsprogrammaatjes. Neem de vier kardinale deugden, zoals ze al vierhonderd jaar voor Christus geformuleerd werden: slimheid, matiging, rechtvaardigheid en moed. Dat zijn doelen voor aparte trainingssessies. Slimheid is het doel voor het trainen van je begripsvermogen, matiging is het doel bij het gebruik van je zintuigen, rechtvaardigheid het doel bij het cultiveren van gemeenschapszin en moed bij het streven naar eigen eer.

In de oudheid kon je je deugden trainen in het stadion, het theater of op de academie; in de middeleeuwen was er de kerk. Bij wie gaan we nu te rade als het om de deugdenleer gaat? We hebben daar geen expliciete gids voor. Of corrigeert de samenleving zichzelf via de media? Hebben die de controle over de deugden en ondeugden overgenomen?

De invalshoeken van waaruit je aan training kunt doen zijn nog altijd dezelfde als in de oudheid: sport, kunst, religie en filosofie. We hebben stadions, theaters, kerken en academies. Dus als je vraagt waar we te rade gaan, is het daar.

Maar inderdaad ook bij de media – kranten hebben trouwens niet toevallig katernen die 'wetenschap' of 'filosofie' heten, of 'sport', 'kunst', 'religie'. Media spelen een grote rol in het debat over de moraal. De gesprekken daarover worden op televisie en in de kranten gevoerd. Maar die media vormen niet één controlerende of richtinggevende instantie. Het is een veelheid aan virtuele marktpleinen waarop een heleboel betweters door elkaar heen staan te schreeuwen. Ik vind dat wel grappig. Het is soms lastig in die veelstemmigheid de weg niet kwijt te raken, maar het is leuker dan dat afgebakende gedoe van 'op zondagochtend om 10 uur trainen we in de kerk de rechtvaardigheid, op zaterdag doen we de sport op het voetbalveld,' etc.

Er zijn minder vaste kaders dan vroeger, de zuilen zijn ons ontvallen. Daar kun je heel erg over blijven jammeren en miepen, maar je kunt ook zeggen: dat is vooruitgang. Want doordat alles diffuser is geworden, kun je weliswaar moeilijker grip krijgen op bepaalde groepen en daarmee op de massa, maar je kunt wel sterke individuen krijgen. Individuen die flexibel zijn en adaptief, die zich niet door één bepaald medium een moraal laten voorschrijven maar die zichzelf 24 uur per dag en zeven dagen per week van alle kanten laten vormen en trainen. Als je het zo ziet, dan blijken die vermaledijde media misschien wel hét probate middel tegen akelige typen van fanatisme waar we vroeger een hoop last van hebben ondervonden.

Media jagen dingen ook op, maken kwesties groot, hypen er soms lustig op los.

Ik denk dat dat reuze meevalt. Elke keer als het verwijt aan de media gemaakt wordt dat ze bezig zijn om Pim Fortuyn groot te maken, of zoiets, denk ik dat de mensen die dat verwijt maken zich vergissen. Juist vanwege hun veelvormigheid zijn de media helemaal niet zo geschikt voor gecoördineerde massahypnose.

Niet afzonderlijk. Maar gezamenlijk vormen al die radio- en tv-programma's, blogs, kranten en tweets soms toch een invloedrijk monster.

Dat is een interessante kwestie, omdat hij zoveel te maken heeft met de grote vraag hoe wij onze samenleving kunnen inrichten. Als je denkt, zoals ik dus, dat we die samenleving een draai in de goede richting moeten geven, dan ben je blij als er een invloedrijk monster bestaat dat je lekker voor je karretje kunt spannen. Dan zou de samenleving gemakkelijk in te richten zijn. Maar dat invloedrijke monster, zoals jij de verzamelde media noemt, is zelf helemaal niet zo gemakkelijk te beïnvloeden. Het is verdomd moeilijk om te bewerkstelligen dat er in een grote groep mensen iets gebeurt. Marketeers dromen daar elke nacht van. En het is maar goed ook dat het niet zo gemakkelijk is – iedereen ziet bij een gemakkelijk te beïnvloeden massa meteen de gevaren. We willen het invloedrijke monster wel en niet. We willen best gebruik kunnen maken van de mogelijkheid om stemming te maken, maar we willen niet dat verkeerde mensen dat ook doen en vervolgens verkeerde stemmingen gaan maken.

> 'Moraal is eigenlijk een aan jezelf opgelegde wet.'

Wie de media stemmingmakerij verwijt, suggereert daarmee dat er in een goede samenleving niet aan stemmingmakerij wordt gedaan. Elke keer als er weer een of ander schandaal opduikt, zijn we diep verontwaardigd omdat we 'er' weer eens ingeluisd zijn. Er is weer een fictie doorgeprikt. Iets was niet zoals we dachten, nu is het doorgeprikt en blijft het echte over. Zo zijn we voortdurend bezig ficties te ontmaskeren. Wat je krijgt, is een ontmaskeringssamenleving die permanent kunstmatig in een rotstemming is. Dat is een cynische samenleving waarin je ervan uitgaat dat niets is zoals het lijkt, dat je voortdurend bedonderd wordt.

Stemmingmakerij is niet erg, zeg je.

Nee, helemaal niet erg zelfs. Misschien is de oplossing wel dat je ophoudt met denken dat we ficties moeten ontmaskeren, maar dat je juist ficties moet gaan máken. Actief ficties maken, in plaats van actief ficties onderuithalen. Hou maar op met mensen te verbieden stemming te maken. Accepteer dat stemmingmakerij bestaat en zorg dat je jezelf ook in dat ambacht bekwaamt.

Want het maken van fictie en sferen is een ambacht. Wat je met je kerstboom en verjaardagstaart en slingers doet, is een sfeer maken. Peter Sloterdijk heeft het in dat verband over sferologie, letterlijk: 'de kunst om sfeer te maken.'

> 'Het lijkt heel voor de hand liggend dat alles wat mij plezier doet goed voor me is, en wat me chagrijnig maakt slecht.'

Eigenlijk betekent sfeer maken in de eerste plaats je realiseren dat je leeft in iets wat je zelf gemaakt hebt; dat je leeft in ficties waarmee je je stemming kunstmatig probeert te beïnvloeden. Je huis, je werk, de samenleving zijn omgevingen waarin de kale dingen nooit voor zich spreken, maar waaraan jij en anderen voortdurend betekenis geven. Je zit niet in zomaar een stoel, je zit in de stoel waarin ook je oma heeft gezeten, of waarvoor je op die warme zondag naar Ikea bent geweest en die je daarna vloekend in elkaar hebt gezet – je ziet die dag nog zo voor je.

Herinneringen zijn ook sferen. Als je terugdenkt aan periodes van vroeger, voel je een sfeer terug.

Ja. Om mijn jeugdherinneringen bijvoorbeeld hangt een sombere sfeer, terwijl ik een rijkeluiszoontje was dat het in materieel opzicht goed had. Ik heb er nooit bezwaar tegen gehad dat ik ouder ben geworden, nooit; en ik hoef ook niet terug naar vijf jaar geleden of tien jaar geleden. Maar sommige mensen hebben hun *finest hour* gehad in hun studententijd en vinden dat het daarna nooit meer is geworden wat het was; die sfeer blijft dan bepalend voor de rest van je leven.

Is de idee achter die deugdenleer ook niet dat het trainen ervan uiteindelijk leidt tot een opgaande lijn in het leven, een steeds 'betere' sfeer?

Ik ben zelf geneigd om dat in elk geval wel te willen. Deugd betekent eigenlijk 'geschiktheid'. Je gaat iets 'deugdelijk' doen als je er lekker voor getraind hebt. Vrij naar Hannah Arendt: de enige manier om de toekomst te voorspellen, is hem tot stand brengen. Een trainingsdoel stellen en dat halen. Dus als je jezelf voorhoudt dat het erop aankomt om steeds handiger te worden, dan ga je misschien wel dingen doen die jou steeds handiger máken. Dat is de ene kant van de zaak: het is allemaal pure fictie maar kan niettemin een heel positief effect in de realiteit hebben. Om met Kurt Vonnegut te spreken: we zijn wat we pretenderen te zijn, dus moeten we heel goed uitkijken met onze pretenties.

Mooi hoor. Maar je bedoelt natuurlijk: we wórden wat we pretenderen te zijn.

Nee, ik bedoel: we zijn wat we pretenderen te zijn. Het is een zin die alles zegt over hoe we in het leven staan. Wat wij pretenderen te zijn, is in ons leven veel invloedrijker dan wie we werkelijk zijn. Want dat zijn we voortdurend bezig te 'overschrijven' met alternatieven; zo worden we ook opgevoed. Misschien zijn we wel heel authentiek als we met onze handen een fazant vangen en die ter plekke rauw opvreten. Maar dat dóen we niet.

En dat komt doordat we iets anders pretenderen te zijn dan we zijn. We pretenderen dat we keurige, nette mensen zijn die hun voedsel lekker klaarmaken en dan met mes en vork opeten. En verdomd: inmiddels zítten we ook allemaal met mes en vork te eten. Het is allang geen dun laagje beschaving meer dat wij over onszelf hebben heen gelegd. Het is wat we zijn. Onze min of meer zelfgemaakte moraal is dus veel bepalender voor wie wij zijn in de wereld dan wat we oorspronkelijk misschien waren.

XIV

OVER DE ONDEUGDEN

Waarom hoogmoed, afgunst, toorn, luiheid, gierigheid, gulzigheid en onkuisheid niet alleen maar verkeerd zijn.

Hoogmoed, afgunst, toorn, luiheid, gierigheid, gulzigheid en onkuisheid: in de oudheid werden ze de zeven ondeugden genoemd, de Katholieke Kerk maakte er de zeven hoofdzonden van. Wat is de overeenkomst tussen die zeven?

Wat ze in de eerste plaats gemeen hebben, is dat het zaken zijn die je zelf moet oplossen. Deugden oefen je om anderen te helpen, bijvoorbeeld tijdens het leidinggeven. Met ondeugden houd je je bezig om jezelf te trainen, te verbeteren zo je wilt. Dat zie je ook terug in het Johannes-evangelie: voor iemand die een hoofdzonde begaat, bid je niet. Bijstand van buitenaf kan daar geen redding geven. Jij bent de enige die jouzelf kan bevrijden van de ondeugden. Dat is zwaar, maar je knapt er enorm van op als je leert hoe je je hoogmoed kunt beheersen en met je jaloezie en gierigheid leert om te gaan. Of met je luiheid, de ondeugd die het meest bij mij hoort.

Vind je dat ook meteen de leukste van de ondeugden?

Nee, als ik een leukste ondeugd moet aanwijzen, kies ik voor de hoogmoed.

Waarom?

Dat heeft alles te maken met mijn gedachte dat de wereld geen zin heeft. En als hij die wel heeft, kennen wij die niet. Maar onze hoogmoed maakt dat wij ons daar niets van aantrekken. Dat is behalve leuk, ook erg verstandig. Je moet je niet zomaar aanpassen aan een wereld die voor zover wij kunnen weten zinloos is; wanneer je dat doet, is je leven automatisch ook zinloos. Als de gewone gang van zaken geen zin heeft en je doet niets om je van die gang van zaken te onderscheiden, dan bén je ook niets. Dus heb je een flinke portie hoogmoed nodig.

Het is absoluut hoogmoedig te denken dat jij er, als klein deel van die enorme wereld, een eigen agenda op na kunt houden. Een zekere ijdelheid zit er ook wel in. Maar het is wel de enige weg om iets aan zingeving te doen, in de letterlijke zin: nergens is een zin aan te treffen, niemand heeft enig idee, maar jij trekt je eigen plan en geeft dat op je eigen manier vorm, met eigen doelen en een eigen agenda. Onder de gegeven omstandigheden vind ik dat verreweg het verstandigste wat je kunt doen.

En hou je ook van wat we in het dagelijks leven onder de hoogmoedigen verstaan? De ijdele types, de hoogvliegers?

Die zijn in hun hoogmoed doorgeschoten; je moet het niet te bont maken. Het is belangrijk dat er een goede balans is tussen het trekken van je eigen plan en het contact met de groep waar je bij hoort. Als je jezelf helemaal loszingt van alles en je hoogmoed wordt pure zelfverheerlijking, dan schiet het niet op.

Is hoogmoed de overheersende ondeugd van onze tijd?

Het zou maar zo kunnen. Maar ook gulzigheid kun je zien als een ondeugd die nu heel heftig is. Er is zoveel te smikkelen, je wilt je overal op storten. Afgunst is wat minder dominant, denk ik. Misschien zijn we al zo rijk dat afgunst niet eens meer de moeite is. Met onkuisheid valt het ook wel mee. Toorn is evenmin overheersend, dat associeer ik toch een beetje met oorlog. Oorlog krijg je als de woede al te hoog is opgelopen. Maar ook het aantal oorlogen lijkt af te nemen.

Als je die ondeugden eenmaal hebt benoemd, wat kun je er dan verder mee?

Je moet die deugden en ondeugden vooral zien als trainingsprogrammaatjes. Die begrippen 'deugd' en 'ondeugd' moeten jou in een bepaalde gesteldheid brengen waarbij je níet aan hoogmoed ten prooi valt en ook niet aan afgunst; noch aan luiheid, gierigheid en onkuisheid en evenmin aan toorn. Het zijn zaken die je wilt vermijden, of waarvan je niet wilt dat ze proporties aannemen waarbij ze je levensvreugde aantasten. Omdat je zó liederlijk seksueel bezig bent dat je alleen nog maar achter je pik aanrent, bijvoorbeeld, of zoveel eet dat het niet meer gezond is, of zo hoogmoedig dat je vrienden zich vol walging van je afkeren. Het gaat om maatvoering. In het houden van de juiste maat moet je jezelf trainen.

Je hebt het nog niet over gierigheid gehad.

Het probleem met gierigheid is dat je op een gegeven moment middelen die eigenlijk bedoeld zijn om iets voor elkaar te boksen – geld bijvoorbeeld – niet meer uitgeeft, omdat je die middelen zelf wilt houden. Terwijl geld op zichzelf niets is; het is geluk in abstracto. Gierige mensen vergeten dat om te zetten in geluk in concreto. Ze blijven op de centen zitten. Dan is de gierigheid uit de hand gelopen. Dat is een moment waarop je tegen jezelf moet zeggen: nu moet ik mijzelf behoeden voor de negatieve aspecten van mijn spaarzaamheid; mijn spaarzaamheid heet nu gierigheid. Tegenover de gierigheid staat de gulzigheid; daaraan zijn we de laatste tijd wel een beetje ten prooi gevallen. Misschien hebben we daarom nu wel wat gierigheid nodig. Gierigheid is namelijk óók een vorm van spaarzaamheid die we tegenwoordig node missen; we

'De deugden zitten dus altijd ergens in het midden, tussen twee ondeugden in.'

hadden de afgelopen decennia best wat zuiniger mogen zijn. Luiheid is ook niet per definitie slecht. Alleen: als je op een gegeven moment in een totale traagheid verzeild raakt en niet meer van je plaats komt, dan ben je diep ongelukkig.

Voor alle ondeugden geldt dus dat ze niet per definitie ondeugden zijn, behalve als de balans doorslaat. Een béétje afgunst, traagheid, hoogmoed en zo: top!

Precies.

Het christendom heeft de zeven deugden en ondeugden overgenomen van de oude Grieken; hebben Plato en Aristoteles ze als eersten benoemd?

Vermoedelijk zijn ze nog ouder. Plato en Aristoteles worden vaak genoemd als degenen die het eerst met iets zijn gekomen, maar het punt is dat we van voor die tijd nauwelijks teksten hebben. De deugdenethiek en de deugdenleer zullen niet zozeer door Aristoteles zijn uitgevonden, maar hij heeft ze wel tot het centrale punt van zijn filosofie gemaakt, omdat hij die balans benoemd heeft. Balans is een belangrijk woord in Aristoteles' deugdenleer.

Neem bijvoorbeeld moed. Aristoteles zegt: de moed als deugd is het midden tussen angst of lafheid enerzijds en overmoed of hoogmoed anderzijds. Dat is een heel praktische benadering. Als je te laf bent, moet je gewoon overmoedig gaan doen om de balans te herstellen; en als je overmoedig bent, moet je een beetje laf worden. Zo kun je die extremen proberen in te tomen. De deugden zitten dus altijd ergens in het midden, tussen twee ondeugden in.

Je moet zorgen dat je passies, de *pathè*, een soort gemiddelde spanning hebben. Niet een volkomen óntspanning en ook niet een óverspanning, maar iets daartussenin. Hoogmoed is fout, moed is goed, en lafheid is weer fout. Hoogmoed is te veel spanning, lafheid is te weinig spanning en daartussen zit een soort ideale tonus die je moet proberen vast te houden.

Je zei net dat luiheid of traagheid jouw grootste ondeugd is. In welk opzicht?

Dan moet ik het mooie woord *acedia* introduceren, de Latijnse naam voor die ondeugd. Het komt uit het Grieks. Dat betekent: niet meer gaan. Traagheid in de zin van tot je knieën door de dikke klei lopen, zodanig dat je er treurig of zelfs depressief van wordt. Wie 'niet meer gaat' komt tot stilstand, en stilstand is treurnis.

Acedia is door Thomas van Aquino weer onderverdeeld in zes verschijningsvormen. Je kunt bijvoorbeeld aan *evagatio mentis* gaan lijden. Dat wil zeggen het afbouwen van de geest: je kunt je gedachten nergens meer bij houden. Je kunt ook kleinmoedig worden, last hebben van *pusillanimitas*. Dat is dat je met één kleine gedachte rond blijft sjouwen en alleen maar denkt: waarom ik? Waarom moest mij dit overkomen! Wat ook kan gebeuren, is dat het mentale gedoe helemaal uit de hand loopt en je volkomen wanhopig wordt, hetzij door het afdwalen van de geest, hetzij doordat je in dat kleinmoedige blijft hangen: je komt er gewoon niet meer uit. Je wordt totaal vertwijfeld en wanhopig, desperaat – *desparatio*. Dan gaat het om dingen waardoor je intrinsiek ongelukkig wordt, in je eigen hoofd. Maar dat kun je ombouwen door te zeggen: weet je wat, ik ga mezélf niet op m'n flikker geven, ik word gewoon rancuneus tegen een ánder.

> 'Als ik een leukste ondeugd moet aanwijzen, kies ik voor de hoogmoed.'

En dan focus je je totaal op iemand anders en stort je daar al je rancune over-heen. Dat is *rancor.*

Vervolgens heb je nog *torpor.* Dan heb je een soort gevoelsstarheid ont-wikkeld waardoor je volkomen afgestompt wordt. Ten slotte is er de *malitia.* Dat is de toestand waarin je een telefooncel in elkaar beukt om gewoon eens lekker ongericht kwaad aan te richten.

En daar herken jij wel dingen in, in *acedia*?

Absoluut! *Acedia* is mijn basisondeugd. Voor zover ondeugden ook zwakke punten zijn die je zelf hebt ontdekt en waarvan je weet dat je eraan moet wer-ken.

Dat verbaast me dan toch weer enorm. Traag? Jij? Leg eens uit?

Je komt er nog wel achter hoe ik echt ben. Ten eerste ben ik een chaotisch den-ker. *Evangatio mentis is my middle name,* zou je kunnen zeggen. Kleinmoe-digheid, daar kan ik me ook niet geheel en al van vrijpleiten. En *desparatio,* vertwijfeling, ligt dan ook altijd op de loer. Mijn vrienden zeiden vroeger altijd: René komt weer eens niet uit zijn crapaudje. Ik was soms lang niet in bewe-ging te krijgen. Ik ben er niet trots op, maar het is ook zeker niet zo dat ik het geheim wil houden. Ik heb een depressievige kant. En ik heb ook last van ran-cunes, heftige rancunes.

En heb je de filosofie kunnen gebruiken om ervan af te komen?

Je komt er nooit helemaal van af. Je kunt de filosofie gebruiken om weer in balans te komen, en dáár kun je volgens Aristoteles steeds handiger in wor-den. Het gaat om de balans in een heel leven, en het vermogen om als je uit balans raakt dat niet te veel te laten doorschieten. Dat kun je oefenen. Maar het is niet zo dat je op een gegeven moment al je lafheid, overmoed en traag-heid de deur uit hebt gewerkt.

Die blijven gewoon.

Ja, die blijven gewoon. Sterker nog, Aristoteles vindt het wel fijn als je grote extremen hebt, dus als je een heel gepassioneerde figuur bent met enorme pie-ken; dat vindt hij zelfs lolliger dan wanneer je gelijkmatig bent, want dan moet je veel harder werken om die balans te herstellen.

Overigens is filosofie niet de enige methode die jou kan leren je ondeug-den te hanteren. Ook hierop kun je weer de andere drie trainingsprogramma's loslaten die ongeveer tegelijk met de filosofie zijn ontstaan: sport, religie en kunst. Ik denk dat degene die de meeste trainingsprogramma's weet te beoefenen, het best leeft. Maar in de praktijk ga je vaak precies dát trainingspro-gramma doen dat het verst van je af staat. Je wordt eerder een beetje extreem in een bepaald ding omdat je er níet zo goed in bent, dan omdat je er wel goed in bent. Als je naar kleine voetballertjes kijkt, zul je zien dat het niet de meest getalenteerde jongens zijn die later profvoetballer worden, maar de jongens die er het hardst voor moeten werken.

In mijn geval, met dat afdwalen van de geest, zal ik er onbewust voor heb-ben gekozen om me op het denken te storten. Ik kom niet uit een heel erg intellectueel gezin, ik ben ook helemaal niet zo erg goed in denken, en daar-om heb ik me er zo verschrikkelijk op gestort.

En mensen die alles wel komt aanwaaien?

Dat zijn vaak een beetje lauwe mensen. Die zul je niet zo gauw in de kunst of waar ook zien schitteren.

Kun je dan concluderen dat in veel gevallen je grootste ondeugd uiteindelijk ook de belangrijkste vormende factor in je leven is?

Nee. Dat lijkt mij te rechtstreeks. Ik had er ook voor kunnen kiezen mijn lui-heid met sport te lijf te gaan, of met religie – juist met religie, want het Nieu-we Testament is één groot vlammend betoog tegen luiheid. Of met kunst. Maar ik heb filosofie gedaan.

Met diezelfde ondeugd had ik ook een andere kant op gekund. Ik koos niet voor de filosofie vanwege mijn ondeugd, maar omdat ik vond dat ik in het denken tekortschoot.

Dus dan is je menselijk tekort de belangrijkste drijfveer.

Zonder twijfel. Bijna alles in het leven is terug te voeren op het menselijk tekort.

XV

OVER OPTIMISME

Waarom optimisme geen blije levenshouding is, maar een slimme strategie.

Wat is optimisme, volgens jou?

Ik zie optimisme als de bewuste illusie dat de wereld niet door en door slecht is. En dat je hem, als je je best doet, nog beter kan maken ook. Je bent geen optimist als je denkt dat de wereld goed is zoals die is. En je bent ook geen optimist als je denkt dat het allemaal vanzelf wel goed komt. Een optimist is eigenlijk een 'optimeerder', iemand die vindt dat we alle zeilen bij moeten zetten om te verbeteren wat er te verbeteren valt, en die dat doet juist zonder enige garantie dat het daadwerkelijk goed komt.

Niet echt een vrolijke, opgeruimde levenshouding.

Nee, het is ook niet zozeer een levenshouding als wel een oordeel over de wereld dat je zelf waar moet maken. Tegenover optimisme staat pessimisme, de bewuste illusie dat de wereld door en door slecht is en dat je hem niet beter kunt maken, hoe goed je ook je best doet.

Dat is ook al geen vrolijke insteek.

Of juist wel. Pessimisme is veel minder bewerkelijk dan optimisme. Je kunt de voortploeterende optimisten erop wijzen dat ze met al hun goede bedoelingen de zaken negen van de tien keer *verschlimmbessern*, zoals de Duitsers zeggen, verslechtbeteren. Als je een vaardige pen hebt kun je met pessimisme over andermans plannen trouwens ook een aardige boterham verdienen, als columnist of zo.

Maakt het uiteindelijk veel uit of je optimist bent of pessimist?

Het maakt enorm veel verschil. Als je jezelf optimisme aanleert, kan het zijn dat je dingen voor elkaar krijgt waar de pessimist nooit aan begonnen zou zijn.

Maar de schaduwzijde is dat je meer kans loopt om teleurstellingen te moeten verwerken. Bij de pessimist kunnen dingen alleen maar meevallen. De optimistische visie maakt een mens actiever, de pessimistische visie past bij types die menen dat de wereld aan vlijt ten onder gaat. En om het helemaal ingewikkeld te maken: de optimist kan er ook een potje van maken, groot kwaad aanrichten met de beste bedoelingen.

Je zei net dat optimisme een levenshouding en een oordeel is. Is het ook niet gewoon een eigenschap, een karaktertrek, een kwestie van temperament: iemand is optimistisch van aard, hij of zij ziet de dingen zonnig in?

Ja, dat kan samengaan. Er zijn mensen die met een zonnige natuur worden geboren en ook nog eens ongeschonden door hun opvoeding komen. Je zou oneerbiedig kunnen zeggen dat zo iemand niet beter weet dan dat alles goed komt. Maar voor mij heeft optimisme altijd iets met een zekere welbewuste vastberadenheid te maken, de wil om bepaalde tegenslagen te overwinnen.

> 'Het huwelijk is een prachtig voorbeeld van optimisme.'

Ik vind optimisme en pessimisme als karaktertrekken niet zo boeiend. Voor mij worden ze interessant als je ze als attitudes ziet, verworven houdingen die je jezelf hebt aangeleerd. Mijn vriend Peter Sloterdijk, de Duitse filosoof, is onlangs vijfenzestig geworden; terugkijkend op zijn leven noemt hij zichzelf een *gescheiterte Pessimist*, dat wil zeggen: iemand die er alles aan heeft gedaan om de zaken somber in te zien, maar die op zijn oude dag moet constateren dat hij dat niet heeft kunnen volhouden.

Maar zijn mensen niet per definitie optimistisch? Getuige het feit dat wij ons altijd maar willen verbeteren, verder willen komen en onszelf willen vervolmaken? We zijn van nature niet gewend om in ons hol te blijven wachten tot we doodgaan.

Misschien is dat wel zo. Als je iemands echte overtuiging wilt leren kennen, kun je beter kijken naar wat hij doet dan luisteren naar wat hij zegt. Iedereen die elke godvergeten ochtend uit zijn nest komt en aan de dag begint, laadt de verdenking van optimisme op zich, of hij nou wil of niet.

Mensen kunnen moeiteloos optimistisch en pessimistisch tegelijk zijn. Veel

Nederlanders zijn pessimistisch over hun land en optimistisch over hun eigen leven. Zo zijn er ook mensen die de wereld optimaal vinden en juist daarom heel pessimistisch zijn over wat politici en ondernemers ermee van plan zijn. Optimistisch over de wereld zelf en pessimistisch over degenen die de verantwoordelijkheid voor die wereld dragen: dat kan. Je kunt het zien als een vorm van misantropie, die in extreme gevallen kan leiden tot moorden in naam van de goede zaak: de wereld beschermen tegen slechte mensen.

Te veel optimisme werkt ook niet altijd; je kunt ook een te zonnige kijk op de dingen hebben en daardoor niet realistisch zijn. Ik schat bijvoorbeeld de hoeveelheid tijd die iets kost te positief in. Dat eindigt altijd in grote paniek.

Maar daar kun je aan werken, door jezelf op dat vlak pessimistischer te maken. Je kunt zoals gezegd een houding ontwikkelen die optimistisch dan wel pessimistisch is, en dan heeft het niet meer zoveel met een aangeboren eigenschap te maken maar met een strategie.

Iemand kan strategisch optimistisch zijn en dit brengt hem of haar misschien soms in tijdsproblemen, maar het is wel gezond. Gezonde mensen schijnen stelselmatig te optimistisch te zijn, depressieve mensen hebben een realistischer wereldbeeld. Kennelijk is een zeker gebrek aan realisme heel gezond voor een mens. Optimisten moeten wel weer beter tegen teleurstellingen kunnen; hun manier van leven smeekt min of meer om tegenvallers.

Je kunt ook besluiten strategisch pessimistisch te zijn. Dan ga je ervan uit dat alles altijd mislukt. Je zegt: goed, ik plan wel wat; maar ik weet nu al dat het toch niks wordt. Dan zit je eigenlijk altijd goed: want als het mislukt, word je bevestigd in je pessimistische verwachting – en als het lukt, ben je blij. Het kan een wijze en bezonken levenshouding zijn, die je hebt ingenomen nadat je eindeloos met je kop tegen de muur bent gelopen. Ik hou daar niet zo van, al kan ik er weinig tegen inbrengen.

Jij bent een soort boegbeeld van het optimisme geworden, ook door hoe je met je kanker omgaat. Is dat niet een beetje griezelig?

Soms wel. Veel mensen verwarren optimisme met dat vreselijke 'positief denken'. Ze menen dat positief denken je helpt om kanker te 'overwinnen'. Daar geloof ik niets van. Denken is geen geheime kracht die op magische wijze rechtstreeks op de materie inwerkt. Het zit anders: met je denken beïnvloed je je gedrag. In die zin is de manier waarop je over de dingen denkt, wel heel belangrijk. Een mens kan nadenken over zijn slechte gewoontes en besluiten betere gewoontes te ontwikkelen. Maar daar is niets magisch aan.

Ik word toch liever optimistisch gevonden dan pessimistisch. Ondanks het risico dat je loopt: namelijk dat verstandige pessimisten je naïef noemen. Optimisme wordt vaak met naïveteit in verband gebracht. Dat is niet terecht. Wij optimisten kunnen de pessimisten erop wijzen dat de wereld er al een hele tijd is en dat de mensheid nog altijd flink groeit.

Hoe krijgen pessimisten het voor elkaar überhaupt iets te ondernemen? Als ze consequent waren, bleven ze de hele dag in de hangmat liggen.

Ja, en dat doen ze toch niet. Ze gaan netjes naar hun werk, ze storten zich ongeremd in het maatschappelijk debat; daar spreekt toch een zeker optimisme uit. Misschien vinden ze dat het altijd veel slechter kan – bijvoorbeeld als je optimisten hun gang laat gaan. De meeste pessimisten zijn meer pessimistisch over wat iemand beweert, dan over de wereld zelf. Met die wereld zelf hebben ze het beste voor. Dus ik geloof inderdaad dat pessimisme een verstolen vorm van optimisme is.

Optimisme heeft een lekker blije bijklank.

En dat terwijl het vroeger een scheldwoord was. Het werd begin achttiende eeuw voor het eerst gebruikt door theologen die de filosofie van Gottfried Wilhelm von Leibniz belachelijk probeerden te maken. Leibniz leefde van

'De optimist kan ook met de beste bedoelingen groot kwaad aanrichten.'

1646 tot 1716 en hij was bepaald geen zorgeloze losbol, hij boog zich over de vraag hoe we een wereld waarin alles wetenschappelijk berekenbaar is, ook moréél berekenbaar kunnen maken. Het was de tijd van de godsdiensttoorlogen. De wetenschap had van God een soort horlogemaker gemaakt, die de boel alleen maar een zetje had gegeven en zelf niet van zijn eigen natuurwetten kon afwijken.

Maar aan natuurwetten heb je niet zoveel als het gaat om zaken als goed en fout. Natuurwetten liggen ten grondslag aan blije volksfeesten, maar ook aan bloederige revoluties. Leibniz' probleem was: hoe voorkomen we dat mensen vermalen worden door gebeurtenissen die zich keurig aan de natuurwetten houden? Met die vraag is een pessimist gauw klaar: dat voorkom je niet.

Leibniz zocht door, en kwam tot de conclusie dat je de huidige wereld moet zien als een voorlopig optimum. Van alle mogelijke werelden die binnen de werking van de natuurwetten hadden kunnen ontstaan, is het deze geworden. De huidige stand van zaken heeft als het ware gewonnen van andere mogelijkheden. Leibniz stelde voor die huidige stand van zaken het 'optimum' te noemen. De huidige, werkelijke wereld is dan de beste van alle mogelijke werelden, domweg omdat hij er wel is en de andere werelden niet. De wereld zoals hij er nu is, is het resultaat van alle natuurkrachten, maatschappelijke bewegingen en andere gebeurtenissen die tot nu toe op hem hebben ingewerkt.

Dat is dus iets anders dan: de wereld is goed.

In absolute zin is de wereld beslist niet goed. Hij kan beter. We bevinden ons weliswaar in een optimum – want we leven nog! – maar we moeten, met alles wat we in ons hebben, streven naar een volgend optimum.

Was dat een constatering van Leibniz, of een levenshouding?

Een levenshouding, een instelling die het hem mogelijk maakte steeds meer inzicht te krijgen in de gang van zaken, met het vaste voornemen aan die gang van zaken iets te verbeteren. Die instelling staat haaks op het diepe pessimisme over de mens en de wereld dat uit de Heidelberger Catechismus spreekt. Leibniz geloofde niet dat de mens niet in staat was tot het goede. Hij geloofde ook niet dat de mens geneigd is tot het kwade. Hij dacht dat de mens hier op aarde wel degelijk iets goeds voor elkaar kon krijgen. Geen wonder dat hij er van de theologen van langs kreeg. Na Leibniz' dood bedachten Jezuïtische theologen de term optimisme als scheldwoord. Maar kritische verlichtingsdenkers namen ook afstand van het optimisme.

Wie?

Bijvoorbeeld Voltaire. Hij vond Leibniz een totale weirdo, omdat hij ervan uit zou zijn gegaan dat de wereld goed is zoals hij is. In 1755 verdween bijna heel Lissabon in zee na een aardbeving. Tienduizenden mensen kwamen om, tot afschuw van heel Europa. Voltaire legde Leibniz-aanhangers de vraag voor hoe zoiets in de 'beste van alle mogelijke werelden' had kunnen gebeuren.

In zijn boek *Candide* stak Voltaire de draak met Leibniz en hij verwoordde daar de kritiek van veel mensen mee, die van mening zijn dat een optimist een soort vlindervanger is die ze niet allemaal op een rijtje heeft. Voltaire voert in *Candide* Pangloss op, de allesweter, die hij naar Leibniz had gemodelleerd. Pangloss wordt gekookt in een ketel, zijn neus wordt afgesneden, hij wordt gegeseld, als galeislaaf verkocht én hij geeft een boek uit bij een Nederlandse uitgever – dat is volgens Voltaire het ergste wat een mens kan overkomen. En na elke ramp laat hij Pangloss zichzelf troosten met de vaststelling dat we in de beste van alle mogelijke werelden leven. Voltaire ziet, in tegenstelling tot Leibniz, geen uitweg uit de scepsis die was ontstaan nadat het wereldbeeld door de godsdienstoorlogen en de wetenschap zo overhoop was gehaald. Hij legt zich neer bij de idee dat we nu niets meer weten. Hij raadt ons aan het voorbeeld van Candide te volgen: zorg nou maar dat je een eerlijk, open mens blijft. Wied je eigen tuintje. Stel geen voor iedereen geldende theorieën op, maar probeer je als individu staande te houden. Eigenlijk kun je stellen dat Voltaire uitermate pessimistisch was over de mogelijkheid om wetenschap, ethiek en dat soort dingen in te zetten voor een betere wereld.

Dat is gek, voor iemand die de geschiedenis is ingegaan als de wegbereider van de Franse Revolutie en de grote man van de verlichting. Daar spreekt toch een geloof in de mogelijkheid van een betere wereld uit.

Het is vanuit Voltaires tijd wel te verklaren. Een sceptische en pessimistische houding is een uitstekend breekijzer in tijden waarin je te maken hebt met een absolute vorst die altijd het laatste woord spreekt en daar van de staatskerk gelijk in krijgt. De Franse Revolutie is niet voor niets uitgebroken. Dan is het goed als er een tegenbeweging is die zegt: 'Dat laatste woord van jou, dat slaat nergens op.' Voltaire vreesde vermoedelijk dat Leibniz' rationalisme, dat hij volgens mij verkeerd afschilderde, het katholicisme zou opvolgen als staatsreligie.

Voltaire bewees de samenleving een grote dienst door de rommel die andere mensen uitkraamden, openlijk in twijfel te trekken. Hij was een wegbereider van de Franse Revolutie in die zin dat het oude gezag moest worden afgekalfd. Als daar cynisch pessimisme voor nodig was: vooruit maar. Maar dit type pessimisme heeft wel iets weg van een chemokuur: het is een frontale aanval op álle ideeën, niet alleen op de machthebbers. Je moet er na een tijdje weer mee ophouden, anders blijft er niets over. Voltaire heeft natuurlijk geen enkele bijdrage geleverd aan wat er daarna gebeurde. Hij deed niets aan de chaos die daarna ontstaan is, behalve dat hij gewoon door bleef schelden. Hij had ook met Leibniz kunnen meedenken.

Pessimisten mikken hun pijlen doorgaans niet op de wereld – want wie weet nou of die goed of slecht is? – maar op de mogelijkheid van succesvol menselijk ingrijpen. Ze geloven niet zo in die mogelijkheid en wijzen mensen die wel pogingen doen er graag op hoe stom dat is. Onder intellectuelen tref je dit type pessimisme wel aan. Columnisten, opinieleiders. Beroepspessimisten zijn dat vaak.

Niet jouw favoriete beroepsgroep.

Weet je wat het is? Wanneer je kritisch bent ten aanzien van een persoon, een absolute vorst of de baas op je werk, dan zou je de opvolger ten minste het voordeel van de twijfel moeten geven. Dat is iemand anders, met andere ideeen. Een zeker strategisch optimisme is dan op zijn plaats. Je hoeft niet altijd tegen te denken; je kunt ook meedenken. Anders hadden de oude zakken net zo goed op hun plek kunnen blijven zitten. Maar de meeste pessimisten zien de opvolger bij voorbaat óók al niet zitten. En de volgende opvolger evenmin. Elke opvolger vindt dezelfde cynici tegenover zich. Types die niets anders doen dan elke pretentie, elke opkomende theorie, elk richtinggevend ideaal bestrijden. Maar als een kankergezwel stopt met woekeren, moet je ook de chemokuur stoppen.

Tegenover Voltaires pessimisme staat het optimisme van de verlichting. Waar optimisme kwetsbaar in is, is de directe koppeling met het vooruitgangsgeloof. Je kunt allerlei punten noemen waarop het beter is gegaan met de wereld, maar het is niet te bewijzen – en dus ook heel moeilijk geloofwaardig te maken – dat er op een systematische manier vooruitgang geboekt kan worden, vooruitgang die je niet meer ongedaan kan maken.

Nee. Maar er zijn twee soorten optimisme die met vooruitgang te maken hebben. De ene is dat je over alles globaal het oordeel hebt dat het vooruitgaat. Hoe dan ook, we gaan vooruit, we komen steeds verder, wat we ook doen. En de andere is: het gaat niet vanzélf vooruit, maar als wij ons inspannen, kunnen we een maatschappij inrichten waarbinnen vooruitgang geboekt kan worden. Die laatste is de Leibniz-achtige opvatting, en ik ben het met hem eens. Je moet er niet van uitgaan 'dat het wel goed komt' en dat het 'zijn' intrinsiek voortrolt. Je kunt beter als uitgangspunt nemen dat dat 'zijn' min of meer neutraal is en dat jouw activiteiten vooruitgang en verbetering kunnen bewerkstelligen. Dat laatste type optimisme: dat

'Veel mensen verwarren optimisme met positief denken.'

wil ik wel expliciet voor mijn rekening nemen. Ook al is het een illusie.

Waarom zou het een illusie zijn?

Omdat het een opzettelijke vergissing is. De optimist omarmt een bewuste illusie. Dat hele idee dat wij leven in de beste van alle werelden is natuurlijk een beetje fantastisch en grotesk. Omdat het een waardeoordeel over de héle wereld is, het héle universum, over alles wat het geval is, niet alleen hier en nu, maar van het prille begin tot het einde der tijden. Die reikwijdte gaat ons duidelijk boven de pet.

Maar ik omarm dat idee van de beste van alle mogelijke werelden toch, omdat het een fijn waardeoordeel is. Het is een prettige levenshouding. Ik weet wel dat het een projectie is van een arme sloeber met een beperkte blik. Mijn ervaring schiet tekort en ik kan dat optimum ook helemaal niet experimenteel bewijzen. Het lukt al nauwelijks om de kwantitatieve omvang van het universum vast te stellen, laat staan dat we iets kunnen zeggen over de kwaliteit van dat alles; over de zin en het doel ervan.

De zin van het leven: daar is-ie weer! Zeg er toch maar wat over.

Vooruit dan. Als de natuur geen zin aan het leven geeft en er ook geen hemelse zingevers bestaan, dan kunnen we lekker zelf zin aan het leven geven. Hebben we meteen wat omhanden. Wat moeten we hier anders doen dan die dingen verzinnen en tot stand brengen die wij zinvol vinden? Zin*geving*, door onszelf en met elkaar, leidt tot huwelijken, vriendenkringen, verenigingen, stichtingen, bedrijven en politieke organisaties. Al die projecten hebben precies de zin die je er zelf aan geeft.

Het huwelijk is een prachtig voorbeeld van optimisme. Je hebt een sterke intentie om er iets van te maken, maar op het moment van het jawoord kun je niet meer doen dan die intentie uitspreken. Weet jij veel. Maar gaandeweg kun je wel degelijk vaststellen of het zinvol is; of het je lukt. Dat komt omdat dat wat je belooft eerst door jezelf gerealiseerd moet worden. Volgens Hannah Arendt is dat trouwens de enige manier om de toekomst te voorspellen: een belofte doen en je eraan houden.

Peter Sloterdijk heeft er ook iets moois over gezegd. Hij zegt: 'De mens is een autohypnotisch dier: een wezen dat zich inbeeldt wat het is en is wat het zich inbeeldt.' Je neemt een overtuiging aan, gaat je ernaar gedragen en soms komt het dan nog uit ook. Dat is een fijne *self fulfilling prophecy*. Uiteindelijk is ook optimisme dus humeurmanagement. Het is de attitude die je aanneemt, juist als je geen rationeel idee voorhanden hebt en niet precies weet hoe de toekomst eruit zal zien. Laat ik het 'kritisch irrationalisme' noemen. Je weet het allemaal niet precies, maar je werkt eraan en zorgt dat de wereld er intussen niet slechter van wordt. En liefst beter.

XVI

OVER DE DOOD

Waarom het goed is dat we langer sterven.

Bereid je je voor op de dood?

Ja. Er zijn zaken waar je goed op kunt letten en waarmee je je ook echt op de dood kunt voorbereiden. Het eerste is dat je, vóór het zover is, geregeld moet hebben dat je geliefden en de artsen weten wat ze met jou moeten doen op het moment dat er verschrikkelijk lijden gaat plaatsvinden. Het 'fysieke' testament. Ondertekenen van een euthanasieverklaring; met je geliefden bespreken tot waar en niet verder; dat zijn dingen die je kunt doen zolang je je nog goed voelt. Daarna komt het materiële testament. Wat je zakelijk kunt regelen, moet je regelen. Het is mijn ouders niet gelukt hun nalatenschap soepel door te geven. Er is gedoe over. Ik hoop Babs en mijn zoons niet te belasten met stresstoestanden, ruzie tussen hen zou ik verschrikkelijk vinden. Je moet zorgen dat er geen oorlog komt, dat nabestaanden geen herrie krijgen over allerlei dingetjes. Degene die overlijdt moet dat doen, want hij of zij is degene die dat kan; de anderen kunnen zich beroepen op degene die overleden is tot ze een ons wegen.

De medische stand heeft voor elkaar gekregen dat we steeds langer leven, maar daarmee sterven we ook steeds langer. Ik ben daar zelf natuurlijk een voorbeeld van. Vijf jaar geleden kreeg ik te horen dat er iets mis was, dat ik botkanker heb. Dat nieuws is geleidelijk aan steeds slechter geworden, maar het is inmiddels 2013 en ik ben er nog steeds. Dus we sterven langer.

Beschouw je jezelf als stervend?

Ik ben vijf jaar geleden wel uit de baan van mijn normale leven getikt. Aanvankelijk kreeg ik een mooi percentage – zeventig procent – dat het allemaal goed zou komen, met behulp van een chemokuur en andere behandelingen. Die eerste drie jaar stonden helemaal in het kader van 'dit is een tijdelijke inzinking, ik kom hier goed uit.' Maar vanaf begin 2011 kon ik dat niet meer denken. Want toen kwam het terug. De kanker had de chemo overleefd – en ik heb een heel heftige chemo gehad, dus dat betekent dat die tumor zo sterk is dat hij niet met nog meer chemo te bestrijden is. Sindsdien wordt hij door operatieve ingrepen in de perken gehouden, maar van genezing kan geen sprake zijn, hooguit van verlenging van het leven.

Ik voel me goed, toch ben ik ziek. Door het UWV ben ik arbeidsongeschikt verklaard. Dus een instelling die bijna niemand meer arbeidsongeschikt verklaart, omdat zelfs mensen met een hoge dwarslaesie nog best met hun oogleden knijpers kunnen vouwen, ziet mij als arbeidsongeschikt. Dan ben je echt ziek.

Ik ben ziek, ik ga dood: is dat het eerste wat je te binnen schiet als je wakker wordt?

Nee, wat nu het meest pregnant is, is mijn afscheid bij de ISVW. Ik ga geen afscheid van mijn familie nemen voordat het echt nodig is, en ook niet van mijn vrienden, maar dat afscheid van de ISVW is heel concreet. Na het moment dat ik die gesprekken heb gehad en dat het vaststond, ben ik wel een maand of drie van slag geweest. Er was een permanent treurige ondertoon.

Hoe kom je daaruit?

In dit geval door je zo snel mogelijk te realiseren dat de depressie die volgt op de situatie, of liever op het inzicht in de situatie, volkomen aan de orde is en volkomen terecht is. Ik vind het waardeloos om bij de ISVW weg te gaan. Die school is een centrale plek in mijn leven geworden. In 1980 kwam ik er als drieëntwintigjarig studentje voor het eerst, vervolgens heb ik er een baan gehad als conciërge en er zes jaar gewoond, van 1985 tot 1991. In het park van de ISVW hebben mijn zoons en ik eindeloos touwbruggen gespannen en vuren gestookt.

Daarna hebben we er met de redactie van *Filosofie Magazine* nog gezeten, van 1994 tot 1996. In 2002 ben ik teruggekomen als directeur. Ik kom er dus al ruim dertig jaar en ik ben helemaal verslingerd geraakt aan dat instituut. Het is de mooiste ontmoetingsplaats van Nederland voor mensen die geïnteresseerd zijn in de filosofie. En het ligt aan de Dodeweg, dat is in mijn geval helemaal praktisch. Even verderop is de Algemene Begraafplaats. Het ligt voor de hand mij daar te begraven. En dan koffie en cake bij de ISVW.

Stel dat jij toch nog dertig jaar leeft, en ik straks een dodelijk ongeluk krijg. Dan heb jij je de hele tijd voorbereid op de dood en ik niet. Welke situatie heeft de voorkeur: die waarin je je kunt voorbereiden op de dood

of die waarin de dood onverwacht komt?

De medische wetenschap heeft ons niet onsterfelijk gemaakt, maar ons wel meer tijd gegeven: meer tijd om te leven en meer tijd om te sterven. Langer leven vind ik oké. Langer sterven vind ik ook oké. Het is wel een soort voorrecht, vind ik, om je een beetje te kunnen voorbereiden op de dood.

Maar je krijgt er een grote kwelling bij cadeau. De wetenschap dat je binnen afzienbare tijd doodgaat.

Die kwelling is wel te overkomen. Ik ben niet zo gekweld, ik ben niet van de 'wat niet weet wat niet deert'-school. En heel veel andere mensen zijn ook niet zo gekweld. Ik heb een paar jaar geleden twee heel leuke, jonge jongens zien sterven, en die waren niet gekweld.

Waarom is het prettig je te kunnen voorbereiden op de dood?

Je voorbereiden op de dood is meer dan bezig zijn met alleen de dood. Het doet ertoe hoe je met eindigheid in zijn algemeenheid omgaat. De dood is het definitieve einde van alle dingen die je in je leven hebt gedaan; maar tijdens je leven maak je voortdurend mee dat dingen eindigen. Je kleuterschool eindigt en je moet naar de lagere school, en net als je het daar weer een beetje voor elkaar hebt, moet je helemaal opnieuw beginnen als brugpieper op de middelbare school. Je speelt in bands die uit elkaar gaan, er zijn vriendschappen die eindigen, relaties lopen stuk. Je wordt al in je jeugd vaak met eindigheid geconfronteerd.

'Al die mensen die vóór ons geleefd hebben: die zijn dood!'

En dan komt het einde van de jeugd zelf; dat is een hele heftige. Dat moment komt niet als je gaat studeren. Een student staat al min of meer zelfstandig in het leven, maar hij is nog steeds afhankelijk van zijn ouders. Alles lijkt op een eigen leven, maar dat is het niet. Christien Brinkgreve heeft voor die leeftijdsgroep de prachtige uitdrukking 'vroeg mondig, laat volwassen' bedacht. Ik denk dat heel veel afstudeerproblemen van jongeren zijn terug te voeren op het feit dat we ons realiseren dat met het einde van de studie ook iets anders, iets heel belangrijks eindigt, namelijk je jeugd. Dan pas ga je van een enorm lange periode waarin je was opgenomen in een geheel dat je niet zelf hebt gekozen – je familie – naar een nieuwe en zelfgecreëerde setting. Dan pas word je deel van een geheel dat je uit vrije keuze om jezelf heen hebt georganiseerd. Met een partner die je wél zelf hebt uitgekozen, met een baan waarin je verantwoordelijkheid draagt, met een huis waar je verzekeringen voor betaalt. Ik denk dat deze emotionele component veel zwaarder weegt dan die dertig pagina's die je per week voor je scriptie moet schrijven.

En ik kan het weten. Ik ben in vijf jaar door mijn filosofiestudie gevlogen, maar ik heb drie jaar over mijn doctoraalscriptie gedaan. Drie loodzware jaren. Ik ben zelfs naar een therapeut gegaan, een psycholoog. Mijn huwelijk liep in die periode ook spaak en het was één grote bende in mijn leven, dus ik wist niet precies waarvoor ik naar die man toeging. Maar hij zei: 'Uit alles wat er aan de hand is, halen we één kwestie, en dat is: je studeert niet af. We zijn met deze therapie klaar als je afgestudeerd bent.' Een heel goede therapeut. Hij noemde zijn benadering 'focaal analytisch': gesprekken met de focus op één van de kwesties. Eens per week maakte ik bij die man een praatje en het duurde alles bij elkaar een behoorlijke tijd, maar ik bén afgestudeerd. Toen was de therapie ook meteen afgelopen. Én ik kwam Babs tegen, op mijn eigen afstudeerpartij: toen zei een goede vriendin dat ik nu wel héél gezond begon te worden.

En kwam ook uit die therapie dat je eigenlijk geen afscheid wilde nemen van die fase in je leven?
Ja. Hoe harder ik schold op mijn vader, hoe duidelijker bleek dat ik de sprong niet durfde wagen.

Waarom vinden we het zo moeilijk om ergens een punt achter te zetten?
Omdat we wel wéten dat dingen kunnen aflopen, maar gevoelsmatig en emotioneel toch niet anders kunnen dan er vol ingaan. Onze gevoelens nopen ons, dwingen ons, het leven volledig te omarmen. Anders doen ze het ook niet goed, die emoties. Daar zit het woord motief, beweegreden in: je kunt niet half zin hebben in het leven, dan kom je niet van je stoel. Je ongebreidelde wil maakt dat je alles wat er in het leven is op een kapitale manier oppakt; dat je er steeds weer ingaat alsof het voor het oneindige is. En dan kun je met je verstand wel weten dat niets oneindig is, maar dat weten is op dat moment abstract. Het wordt pas concreet als iets afloopt en dat is maar goed ook, anders begon je er niet aan.

Zo leid je je leven ook: alsof je onsterfelijk bent. Je eindigheid wordt een stuk concreter als een oncoloog zegt, zoals in mijn geval, dat je er toch maar eens over moet gaan nadenken. Pas dan beginnen je tomeloze emoties te struikelen en treedt iets wat tot dan een achtergrondidee was, namelijk dat het leven niet oneindig is, op de voorgrond. Dat is merkwaardig, want als je aan mensen met gezond verstand vraagt of ze denken dat het leven eindig is, zeggen de meesten toch 'ja'.

Het eerste formele argument waarmee ik me moest bezighouden toen ik filosofie ging studeren, was: 'Alle mensen zijn sterfelijk. Socrates is een mens. Dus Socrates is sterfelijk.' Het ging om de redenering. Het grappige van logica is dat je geacht wordt op de vórm van een redenering te letten, niet op de inhoud. Dus wat ze altijd doen is een zinnetje nemen met zo'n evidente inhoud dat niemand erdoor wordt afgeleid, zodat je ongestoord naar de validiteit van het argument kunt kijken. En dit is dus een uitspraak waar níémand aan twijfelt – behalve Harry Mulisch dan, die altijd zei: 'Alle mensen zijn sterfelijk, maar in mijn geval moet dat nog maar bewezen worden'. Maar ook Harry ligt nu op Zorgvlied.

Denkt niet iedereen dat stiekem? Anderen gaan dood, maar ik mooi niet?

Daaraan zie je dus dat iedereen altijd bezig is met die verschillende soorten informatie. De ene, die uit je emoties komt, wil gewoon het leven voor nu en altijd. Daarnaast hebben we de waarneming van het grote sterven om ons heen en een verstand dat daar een regel uit destilleert als 'alle mensen zijn sterfelijk'. Die twee vormen een voorstellingsvermogen, en voor dat voorstellingsvermogen is het duidelijk dat het leven níét oneindig is. Dat we doodgaan, is voor het verstand evident. Al die mensen die vóór ons geleefd hebben: die zijn dood! Er leven nu zeven miljard mensen, maar ook die gaan er allemaal aan.

Dat we doodgaan is voor het verstand heel gemakkelijk in te zien. Je neemt de eindigheid dagelijks waar. Je ziet mensen oud worden en omvallen. Ik zie mezelf zonder been. Ik speelde vroeger veel 'Doom', dat is zo'n computerspelletje waarbij de *body parts* je om de oren vliegen. Ik ben intussen in de realiteit ook in zo'n *doom*-situatie terechtgekomen, met *body parts* die alle kanten op vliegen en...

Ja, ja. Ik wil nog wat meer weten over die voorbereiding op de dood. Hoe moet je dat doen? De dingen die je net noemde, waren tamelijk pragmatisch: zorgen dat er geen ruzie komt over je lievelingspen, stilstaan bij de vraag hoe je wilt sterven en eventueel maatregelen nemen.

Precies. Denk er maar eens even over na wat er gebeurt wanneer je zo ziek wordt dat het zogeheten 'ondraaglijke lijden' intreedt. Het is moeilijk aan te geven wanneer daarvan sprake is, want je tolerantiegrens schuift mee. Ik denk dat ik tamelijk ver ga in het doorstaan van fysiek lijden. Ik heb de afgelopen tijd bijzonder veel meegemaakt – dat been afzetten deed zeer, de fantoompijn was afgrijselijk, die chemokuur was vreselijk, écht vreselijk – maar nu ik het je vertel moet ik heel diep in mijn herinnering graven: hoe erg wás het ook alweer? Want ik ben de pijn straal vergeten.

Hoe zit het met je geestelijke voorbereiding op de dood? Kun je naar zoiets groots en onherroepelijks toeleven, er op de een of andere manier vrede mee krijgen?

Dan kom ik weer bij de twee driften die ieder mens aansturen: de behoefte om bij de groep te horen en de behoefte om daar bovenuit te steken, om bijzonder te zijn. Die twee driften spelen je ook hier parten. De neiging om heel bij-

'Bij mediteren denk je al je gedachten weg; bij nadenken alleen de verkeerde.'

zonder te willen zijn, kan aan het eind van je leven enorm opspelen – 'Ik wil kijken wat ik allemaal heb bijgedragen', enzovoort – en de drift om bij je groep te willen horen, eveneens: want alles in je schreeuwt dat je niet weg wilt.

Hier moet je het koele verstand erbij halen. Dat helpt je om in dat ingewikkelde slagveld van emoties het onderscheid te maken: wat wil ik echt, in deze levensfase: met mezelf, met anderen? Ik kan mijn bijdrage aan het grote geheel wel te klein vinden, maar er is geen tijd meer om dat recht te zetten. Ga ik treurig en gefrustreerd dood? Daar doe je je geliefden geen plezier mee. Je verstand kan er, met de nodige inspanning, voor zorgen dat je niet allerlei idiote beelden – met name angstbeelden – begint op te kloppen die de zaken alleen maar verstoren.

Je moet streven naar een soort gemoedsrust. En niet vluchten in de twee uitersten waarin je mensen vaak ziet belanden. Het ene uiterste is dat je denkt: 'Ach, ik hou er verdomme mee op ook; ze krijgen allemaal de tering maar'; het andere uiterste is dat je overdreven optimistisch reageert en iets roept als: 'Ik trek me er niks van aan en ik ga gewoon door. Denk maar niet dat de ziekte mij eronder krijgt!' Terwijl je bij wijze van spreken al uitgeteld op de bank ligt.

Het is dus een riskante boel, met dat verstand. Aan de ene kant is het de instantie die voor een zekere balans kan zorgen, aan de andere kant is het ook de instantie die je kan opzadelen met een voorstelling van zaken waardoor je helemaal de verkeerde kant op holt. Wittgenstein zei, terecht, dat wij ons verwarde verstand alleen maar hebben om de knoopjes uit ons verwarde verstand te halen.

Je hebt eigenlijk een verstand nodig dat je verstand gaat controleren.

Exact. Een dapper politiemannetje dat ervoor zorgt dat jouw verstand in een crisissituatie niet de impuls volgt om direct weg te vluchten, en ook niet de impuls om meteen een geweer te pakken en erop los te knallen. Maar zo'n extra verstand is er niet, dus moet je het met het ene doen.

Hoe? Neem jezelf als voorbeeld: hoe slaag jij erin zo kalm en evenwichtig met deze situatie om te gaan?

Ik ben in de bevoorrechte positie dat mensen mij vaak vragen hoe het gaat. Ook op openbare plekken, bij lezingen of tijdens interviews. Aanvankelijk dacht ik: ik doe daar niet aan mee. Ik ga niet vertellen over mijn ziekte. Dan lijkt het of ik er een slaatje uit probeer te slaan – eindelijk de volle aandacht – en dat wil ik niet, ik ga niet meedoen aan die bekenteniscultuur. Maar inmiddels ben ik daar volkomen vanaf en vind ik dat die bekenteniscultuur, compleet met Oprah en Dr. Phil, wél goed is.

O?

Ja. Omdat wij langer leven dan in enige andere periode, en ook een langer deel van dat leven ziek of stervend zijn, zijn wij de eerste generatie die daar daadwerkelijk mee te maken heeft. Er zijn nog geen regels voor hoe je daarmee moet omgaan. Er is nog geen goed verhaal over en er bestaat nog geen verstandige richtlijn voor, want het is nieuw. Die richtlijnen en verhalen moeten er nog komen. Ik ga er, hoe eigenwijs dat misschien ook klinkt, vanuit dat iedereen alles zelf kan bedenken, en dat doe je onder meer door te praten.

Woorden zijn de bouwstenen van ons verstand. Sinds we woorden zijn gaan gebruiken, hebben we het verstand verschrikkelijk uit de hand laten lopen; zonder woorden waren we onverstandige zintuiglijke wezens gebleven met een enorm sterke wil, maar ons verstand heeft er een heel gedoetje van gemaakt. Zo'n druk gedoetje dat er allerlei wijsheidsleren zijn gekomen die zeggen: nou, mediteer dat er dan maar weer gauw uit!

Ik ben er zelf meestal te lui voor, maar door te mediteren kun je voor jezelf wel inzichtelijk maken wat voor type verwarring dat verstand veroorzaakt. Het feit dat we met elkaar zijn gaan leuteren en dat we plannen zijn gaan maken, ons uit het hier en nu kunnen denken richting een toekomst of terug naar het verleden, dat komt allemaal door het verstand. Mediteren kan je helpen jezelf ervan bewust te maken dat het verstand zichzelf in de touwen moet houden. Als je mediteert, train je in feite dat politiemannetje dat je tegenstrijdige gevoelens een beetje in bedwang moet houden.

Maar voor mij is mediteren niet de eindoplossing. Het is gewoon één van de trainingen die je moet doen. Het apparaat 'formuleer toch eens een volledige zin' staat naast het apparaat 'ga mediteren'. Ik vind een fantastische definitie van het verstand dat je daarmee de indrukken die je vanuit de buitenkant opdoet met je zintuigen, omzet in uitdrukkingen. Van *impressions* naar *expressions*. Wie probeert uitdrukking te geven aan wat hem bezielt, is zijn verstand aan het ontwikkelen. En dat is erg belangrijk. Dat is de hele inzet van de filosofie. Je verstand niet het zwijgen opleggen, maar inzetten om zichzelf in toom te houden.

Omdat het verstand de wil moet kunnen besturen?

Ja, de wil blijft toch altijd sterker dan het verstand, maar het verstand moet wel zo sterk zijn dat je een beetje aan humeurmanagement kunt doen. Architect worden van je passies. Door over dingen te praten, ook over zoiets ingewikkelds als de dood, zijn we bezig ons verstand zodanig te oefenen dat het de zaken niet verstoort. Door goed na te denken en helder te formuleren kan ik vaste grond onder de voeten krijgen en zorgen dat ik mijn humeur goed houd. En praten doe je met anderen, je zit niet in je eentje te piekeren, je werkt meteen aan onze gezamenlijke intelligentie.

Er zijn honderdduizend momenten in het leven waarop iets waar je je zinnen op had gezet, toch eindigt. Het is de moeite waard daarop terug te kijken en het mechanisme, het systeem, te onderzoeken. Vraag je eens af of je voorstelling van zaken wel goed was. Was je echt zo'n slome duikelaar? De *clash* tussen de emoties die willen dat alles voortduurt en de realiteit van de eindigheid is alleen maar te beïnvloeden door je voorstelling van zaken zo goed mogelijk op orde te krijgen. Daarmee kalmeer je in elk geval emoties die door je eigen toedoen veel te hoog zijn opgelaaid. Het verschil tussen mediteren en juist wél nadenken, is dat je bij mediteren al je gedachten wegdenkt, en bij nadenken alleen de verkeerde.

Met nadenken kun je het best zo vroeg mogelijk beginnen. Wanneer je de dood krijgt aangezegd, ga je er extra hard in oefenen. En dan kom je erachter dat je voorstelling van zaken vaak totaal niet overeenkomt met de werkelijkheid. Dat 'weten' vaak de boosdoener is. Je wordt je bewust van wat je weet en denkt en meent te kunnen zien. Doorgaans kloppen de beelden niet bij de emoties van dat moment. Neem het voorbeeld van een slechte relatie waar je maar niet uitstapt. Je voorstelling van zaken is dat die relatie goed moet worden, dat ze aan het beeld moet voldoen dat jij in je hoofd hebt. Je legt je niet neer bij de realiteit, namelijk dat die relatie gewoon slecht is. Jouw beeld zorgt dat je in die relatie blijft hangen, terwijl het veel verstandiger was geweest op te stappen. Dat heb ik veel gedaan, dus ik kan het weten; ik heb nu een goede

'Als je terugkijkt op je leven en beoordeelt of het zin heeft gehad, moet je een beetje aardig zijn over wat was, en niet overspannen doen over wat nog zou moeten.'

relatie.

Je emoties staan niet rechtstreeks in je macht, de wereld staat al helemaal niet in je macht; het enige wat in je macht staat, zijn je voorstellingen van zaken. En als niets zozeer in onze macht staat als onze voorstellingen van zaken, dan weet je dat daar de sleutel ligt tot een goed humeurmanagement. Dan weet je dat dat humeurmanagement zich niet zozeer op je emoties moet richten, maar veel meer op je voorstelling van zaken. De zaken waarover je zo van streek raakt, heb je altijd een beetje zelf in elkaar geknutseld.

En dat pas jij nu toe op de komende jaren. Door je geen voorstelling te maken van jezelf als doodziek wezen, maar ook niet als kerngezonde man.

Ik ben inmiddels wel zover dat ik op de momenten dat ik me zou willen terugtrekken uit de buitenwereld, tegen mezelf zeg: fout! Dat doe je zelf, jongen. En als ik alleen maar bezig ben met grootse toekomstprojecten, zeg ik dat ook. Dan moeten de alarmbellen ook gaan rinkelen, want ik zou het toch niet slim vinden van mezelf als ik niet nu al min of meer tevreden was met mijn leven en er per se nog iets gepresteerd moet worden.

Ik wil absoluut niet in de valkuil trappen dat ik het idee krijg, de voorstelling van zaken, dat er nog één boekje of één artikel moet komen. Stel je voor dat het er niet komt? Dan heb ik mijn leven tot nu toe afgekeurd. En mijn kansen om het recht te zetten, zijn verkeken.

Je moet van je onwetendheid je vriend maken, je moet zien dat daar een uitweg zit. Je moet globale negatieve oordelen over je leven opschorten. Welk overzicht heb je nou eigenlijk? Scharrel liever wat aardige dingen bij elkaar die wel gerealiseerd zijn. Of laat je geliefden dat voor je doen, en geloof ze, goddomme. Als je terugkijkt op je leven en beoordeelt of het zin heeft gehad, moet je een beetje aardig zijn over wat was, en niet overspannen doen over wat nog zou moeten. Ook dat kun je trainen.

Je hebt jonge jongens zien doodgaan, je hebt oude mensen zien sterven. Kun je ook op jonge leeftijd een afgerond leven hebben?

Jawel, dan kom ik weer terug bij die levensloop waar ik het net over had. De jonge jongens die ik heb zien sterven, hoorden nog helemaal bij hun gezin, die hadden zich nog niet losgemaakt van hun familie. En het scheen mij toe dat die jongens het leven dat zij geleid hadden, op de meest perfecte wijze hadden afgerond. Ze konden wonderbaarlijk lief zijn voor hun omgeving, die na de dood met de brokstukken zou blijven zitten. Het waren prachtlevens.

Maar ik heb ook een vriend gehad die op zijn vierendertigste overleed, en die vloekend en tierend het leven uit ging. En ik kon me dat zo goed voorstellen. Hij had een mooie politieke carrière in het verschiet, hij had een fantastisch gezin, een klein jongetje van twee, een ontzettend leuke vrouw. Wat kon die jongen nou anders zijn dan furieus?

In sommige fasen van je leven kun je je leven gemakkelijker afronden dan in andere. Ik was onlangs bij een geweldige bijeenkomst over filosofie in de Amsterdamse Beurs van Berlage. Schitterende plek, achthonderd bezoekers, leuke mensen, niemand die filosofie verwarde met diepe grondslagendiscussies of vage spiritualiteit. Het was alsof de aanwezigen naar een mooi concert in het Concertgebouw waren gegaan. Twintig jaar geleden was dat in Nederland ondenkbaar. Ik heb er mijn steentje aan bijgedragen, mijn naam werd genoemd, ik was trots. Mijn zoons zijn bijna dertig en het zijn bepaald geen rotzakken. Ik kijk met een zekere mildheid terug op wat ik heb uitgespookt.

Er zijn ook mensen in jouw situatie en van jouw leeftijd die zouden zeggen: maar ik wil nog drie boeken schrijven! Eerlijk gezegd verwacht ik van jou ook dat je dat nog wel in overweging neemt.

Ik zou mezelf dus een enorme domme lul vinden als ik zo zou redeneren. Je hebt gelijk dat ik een groot risico loop zo stom te zijn, maar ik reken er dan maar op dat jij me tijdig tot de orde roept.